D1501883

1. rysunek tuszem (piórko + aerograf) / ink drawing (pen + airbrush), 1980-82

2. rysunek tuszem (piórko + aerograf) / ink drawing (pen + airbrush), 1980-82

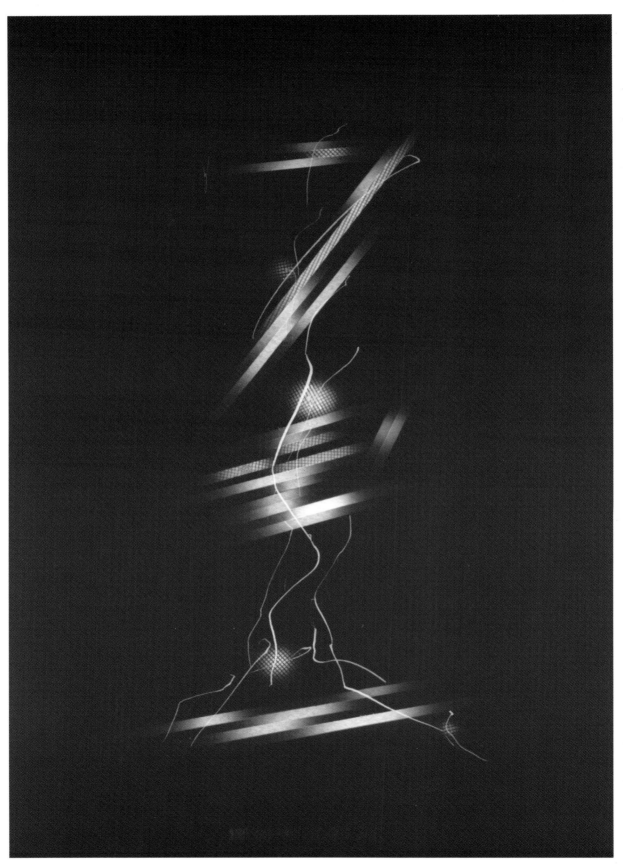

3. rysunek tuszem (piórko + aerograf) / ink drawing (pen + airbrush), 1980-82

4. rysunek tuszem (piórko + aerograf) / ink drawing (pen + airbrush), 1980-82

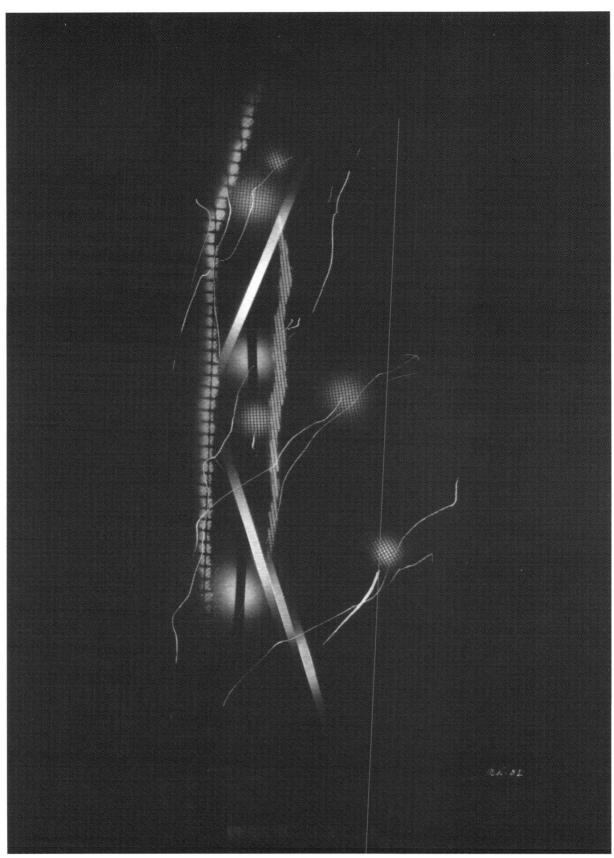

5.rysunek tuszem (piórko + aerograf) / ink drawing (pen + airbrush), 1980-82

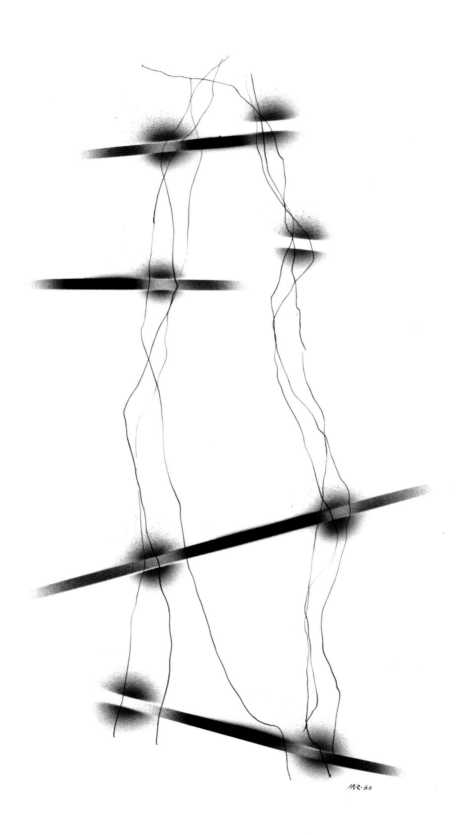

6. rysunek tuszem (piórko + aerograf) / ink drawing (pen + airbrush), 1980-82

MIROSŁAW

ROGALA

GESTY WOLNOŚCI
GESTURES OF FREEDOM

PRACE 1975-2000
w o r k s

centrum sztuki współczesnej zamek ujazdowski, warszawa
galeria sztki współczesnej bunkier sztuki, kraków

Mirosław Rogala
GESTY WOLNOŚCI / GESTURES OF FREEDOM
Prace/Works 1975-2000

Centrum Sztuki Współczesnej – Zamek Ujazdowski, Warszawa
Centre for Contemporary Art – Ujazdowski Castle, Warsaw
3. 03 – 8. 04. 2001

Galeria Sztuki Współczesnej Bunkier Sztuki, Kraków
The Bunkier Sztuki Contemporary Art Gallery, Cracow
18. 04. – 13. 05. 2001

Kurator / Curator: Ryszard W. Kluszczyński
Współpraca / Assistant curator: Urszula Śniegowska
Redakcja / edited by: Ryszard W. Kluszczyński
Przekład / translation: Urszula Śniegowska, Maria Wanat, Jan Wecsile
Korekta tekstów polskich / Polish proof-reading: Jan Koźbiel
Projekt graficzny / graphic design: Grzegorz Laszuk[Książki+Strony]

Organizatorzy serdecznie dziękują za pomoc w realizacji wystawy następującym osobom i instytucjom
We wish to express our thanks to:
Roy Ascott, John Banka, Will Bauer/APR, Joel Botfeld, Jan Brud, Dorota Chudzicka, Sean Cubitt, John Cullinan, Bożena i Mieczysław Feret, Oskar Friedl, Dieter Froese, Jacek Giergiel, Anna Maria Gliszczyńska, Joe Gregory, Lidia Greszta, Krzysztof Gromski, Raymond S. Harmon, Jacek Hilchen, Jim Hildebrant, Kay Hines/Dekard Video, Alexander Horn, Barbara & Norman Iverson, Elaine A. King, Bogumiła Kosina, Piotr Krajewski/WRO, Zbigniew Kupisz, George Lelis, Ben Levit, Grażyna Lippert, Margot Lovejoy, Lucyna Mielczarek, Darrell Moore, David Moore, Ken Nordine, Jan Nowocin, George P. Lellis, Jesn-Marie Ober, Krystyna Ober, Antoni Porczak, Sabrina Raaf, Ewa Radwańska, Jerzy Rdzanek, Joe Reitzer, Zofia and Stefan Rogala, Łukasz Ronduda, Ellen Sandor, Anna Seeto, Ron Steinberg/RentCom, Andrzej Stroka, Artur Tajber, Lucien Vector, Lynne Warren, Paweł Zajączkowski, Genowefa Zielińska.

(Art)n Laboratory, Brooklyn College, New York, Centrum Sztuki Mediów WRO, Drexel University Design Arts Gallery, Philadelphia, Gamma Photo, Chicago, Museum of Contemporary Art, Chicago, Illinois, PIMA/Performance and Interactive Media Arts, Brooklyn College, New York, Polish Sailing Center, Studium Generale, Swell, Chicago, Zenter für Kunst und Medientechnologie.

oraz / as well as
współpracownikom z CSW i Bunkra Sztuki / CCA and Bunkier Sztuki Gallery staff engaged in the project

Wystawa w CSW została zorganizowana przy pomocy finansowej
The exhibition at the CCA has been supported by:
Trust for Mutual Understanding
Ministerstwo Kultury i Dziedzictwa Narodowego

centrum sztuki współczesnej zamek ujazdowski
warszawa/warsaw
00-461 warszawa, al. ujazdowskie 6
tel 628 12 71/3, fax 628 95 50
e-mail csw@art.pl, www.csw.art.pl

◗BUNKIER SZTUKI
Galeria Sztuki Współczesnej / Contemporary Art Gallery
Pl. Szczepański 3A, 31-011 Kraków, Poland
tel. [+48/12] 422 40 21, 422 10, 52, fax [+48/12] 422 83 03
www.bunkier.com.pl, e-mail bunkier@bunkier.com.pl

Spis treści / Contents

Główną ideą moich prac jest „wolność wypowiedzi". Moje rozumienie pojęć „wolność" i „demokracja" nie sprowadza się wyłącznie do „praw" i „przywilejów" – jak tradycyjnie rozumie się je w USA – ale także obejmuje odpowiedzialność.

Media interaktywne dają widzom "prawo" do ingerencji nie tylko w zawartość ale również w formę dzieła. Konsekwencją tego jest przesunięcie akcentu z artysty na (w)użytkownika*, zmiana relacji między nimi, oraz współodpowiedzialność (w)użytkownika za dzieło. W ten sposób działanie widza zaczyna być integralną częścią pracy do tego stopnia, że (w)użytkownik przejmuje cześć odpowiedzialności decydując o czasie i zaangażowaniu jakie zamierza mu poświęcić. Decyzje te zostają odpowiednio wynagrodzone. W ten sposób inwencja może być podzielona stając się integralną częścią dzieła jednak wtedy tylko gdy (w)użytkownicy nie są jedynie operatorami mechanizmów, ale także uczą się zasad demokratycznej odpowiedzialności.

Rozciąga się to na moje najnowsze prace, w które wpisana jest odpowiedzialność odbiorcy za wspólnotę społecznych oddziaływań zarówno z innymi w tej samej przestrzeni geograficznej i czasowej jak i oddalonymi (w)użytkownikami połączonymi za pośrednictwem sieci komputerowej. Idea moich prac rozwinęła się od odpowiedzialności jednostki za jego/jej doświadczenie do społecznego konstruowania dzieła przez wielu (w)użytkowników – bardziej złożonego modelu demokratycznego doświadczenia artystycznego – i ostatecznie w kierunku praktycznych konstrukcji utopijnej sieci, w której mogą być eksplorowane możliwości i wymagania globalnej medialnej demokracji.

Mirosław Rogala 2000

* „(w)użytkownik" jest terminem przedstawionym przez Mirosława Rogalę na początku 1998 dla określenia uczestników będących zarówno widzami jak i użytkownikami w relacji do dzieła i pomiędzy sobą.

A central concept of my artworks is «freedom of speech.» My understanding of freedom and democracy is not only "rights" and "privileges" – the traditional definition in the USA – but also of responsibilities.

Interactive Media give audiences the "right" to work on the content and even on the form of the work; it also entails, in the shift of emphasis from artist to (v)user*, a shift of responsibility for the work. The participant's interactions therefore become integral to the work to the extent that the (v)user takes up that responsibility, chooses the amount of time and involvement each cares to give, and is rewarded accordingly. In this way creativity can be shared, and is integral to the work, but only when the (v)users learn, not just the interface mechanisms, but the principles of democratic responsibility for their actions as well.

This extends, in my most recent work, to have responsibility for the mutuality of social interactions, both with others in the same geographical space and now with (v)users linked via computer-mediated communication networks in remote locations. The intent of my works has grown from the individual's responsibility for his/her experience to the social construction of the work by multiple (v)users – a more complex model of democratic artistic experience – and finally towards the practical construction of an utopian network, in which the possibilities and demands of global media democracy can be explored.

Mirosław Rogala 2000

*(V)User is a term introduced by Mirosław Rogala in early 1998 to discuss participants who are both viewers and users in the interaction with the artwork and between themselves.

8. Virtual Sketch # 1, One Speech, One Language, PHSCologram (with Art°), 1997 [13/14]

Ryszard W. Kluszczyński

Gest artystyczny: ekspresja, komunikowanie, uczestnictwo

W miarę jak sztuka rezygnuje z przedmiotowego traktowania swych wytworów zyskuje w niej na znaczeniu gest. Artysta, czyniąc swoje dzieło wehikułem czy wręcz ucieleśnieniem gestu, porzuca niekiedy wszelkie inne aspiracje. Gest wówczas przybiera radykalną, skrajnie zindywidualizowaną postać. Dzieło sztuki pojmowane wyłącznie jako gest jego autora minimalizuje znaczenie wszystkich innych wymiarów sytuacji artystycznej, odsuwa na dalszy plan intersubiektywny sens, lekceważy aspekty społeczne i historyczne odniesienia. Nie oczekuje zrozumienia. Nie zaprasza też nikogo do współpracy. Nie widzi nikogo i do nikogo w szczególności się nie zwraca. Mamy w nim do czynienia z adresowaniem ogólnym, niekonkretnym i rozproszonym. Nikt więc nie musi czuć się jego rzeczywistym adresa-

Artistic gesture: expression, communication, participation

Along as art makes without treatment of its products as objects, gesture comes to the forefront. Transforming his/her work into a vehicle for gesture, or its embodiment even, the artist resigns from any other inspirations. Then the gesture takes on a radical, particularly individualized form. Work of art treated solely as its author's gesture, minimalizes the meaning of all other dimensions of artistic situations, puts aside inter-subjective sense, disregards its social aspects and historical references. It does not awaits consideration. It invites no participation. It does not see anybody and addresses nobody in particular. General, imparticular and scattered addressing happens here. No one should perceive oneself the real addressee. Though anyone may. Work as a gesture becomes pure expression here. Pure

tem. Chociaż każdy może. Dzieło jako gest staje się w takim wypadku czystą ekspresją. Ekspresją stanów emocjonalnych czy mentalnych artysty. Malarstwo Jacksona Pollocka czy też generalnie nurt *action painting* jest doskonałym przykładem tej postawy. Także obrazy liczone Romana Opałki. I cała twórczość Tadeusza Kantora. Mówi się też niekiedy (zob. np. koncepcje Henryka Elzenberga) o obiektywnej ekspresji samego dzieła, jego materii i formy, ale ten przypadek nie dotyczy naszych rozważań gdyż byłaby to ekspresja o źródle innym niż gest (o ile nie uznamy materializacji formy za obiektywizację gestu ekspresji).

Gest artysty jest lub raczej bywa także skierowany ku Innemu. W tym momencie gest przeistacza się w komunikat, w zaproszenie do zrozumienia, staje się inspiracją i początkiem dialogu. Ekspresja, w poprzednim wypadku nieukierunkowana, w pewnym sensie narcystyczna gdyż artysta przegląda się w niej jak w zwierciadle, obecnie skierowana ku określonemu odbiorcy. Określonemu przez miejsce zamieszkania, pozycję społeczną, płeć, typ wrażliwości, horyzonty myślowe. Ekspresja staje się komunikowaniem. Jak w twórczości Josepha Beuysa, Bertolda Brechta, Jeana-Luca Godarda. A także Piotra Uklańskiego, Katarzyny Kozyry i Artura Żmijewskiego. Dzieło stanowi wówczas ramę, w której króluje znaczenie. Kiedy owemu znaczeniu przypisze się sta-

expression of emotional or mental situation of the artist. Jackson Pollock's painting, or more generally *action painting* is a prefect example of such an attitude. Also Roman Opałka's counted paintings are. And the whole of Tadeusz Kantor's art. It is sometimes said (see for instance Henryk Elzenberg's concepts) that a work of art has objective expression of its own, of its form and substance, but this is not the case of our discussion as then the expression has another source than gesture (or we would have to perceive form just as an objectified, metarialized gesture of expression).

Artist's gesture is, or rather may be directed into the Other. Then it transforms into a message, into an invitation to be read, becomes an inspiration and initiates a dialogue. Expression, in the above case non-directed, narcisstic in a sense as the artist watches himself/herself like in a mirror, now is directed into a given, definite recipient. The recipient is defined by his/her place of living, social status, gender, type of sensibility, intellectual horizons. Expression becomes communication. This happens in the art of Joseph Beuys, Bertold Brecht, or Jean-Luc Godard. And in Piotr Uklański's, Katarzyna Kozyra's and Artur Żmijewski's. Work of art becomes then a frame for meaning. When it is awarded a status similar to that of expression, it has to be decoded by the recipient. Meaning is then comprehended as

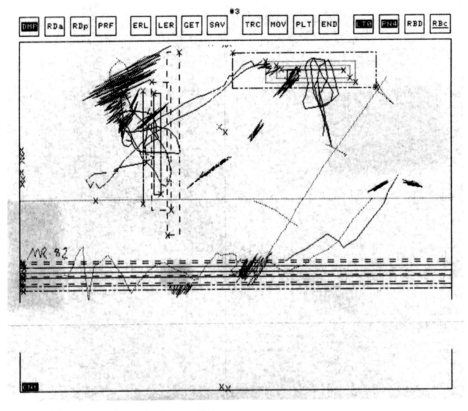

10. rysunek komputerowy / computer drawing, 1982

tus podobny temu, który posiada ekspresja wówczas w odbiorze musi ono zostać poddane przez odbiorcę dekodowaniu. Znaczenie jest wtedy pojmowane jako semantyczny gest artysty, swego rodzaju semantyczna ekspresja. Jest ono w takim ujęciu przypisywane artyście jako jego/jej wytwór, czy wręcz przedłużenie. Umberto Eco określiłby tę formę znaczenia dominacją intencji autorskiej. Kiedy natomiast więź między artystą i znaczeniem dzieła ulegnie rozluźnieniu, to staje się ono w większym stopniu wytworem aktywnego odbioru. Staje się produktem inferencji. Komunikacyjny gest artysty jest przetwarzany przez odbiorcę w sposób jemu/jej właściwy, w kontekście jego/jej uprzednich doświadczeń, posiadanej wiedzy, preferencji. Jeśli owa transformacja odbywa się w ramach samego utworu, w zgodzie z jego horyzontem, to możemy – w dalszym ciągu za Eco – uznać ów odbiór za ciągle jeszcze podporządkowany intencji dzieła. Kiedy jednak rama ta zostanie w interpretacyjnym odbiorze dzieła przekroczona, to prymat uzyskuje intencja odbiorcy. Wówczas komunikacyjny gest artysty zbliża się ku trzeciej z form gestu, które są tu przedmiotem naszej uwagi – ku partycypacyjnemu gestowi widza.

Kiedy artysta przeobraża własny gest w czasoprzestrzenną strukturę gestualną, kiedy powołuje otoczenie, w którym wirtualizuje projekt interaktywnych zachowań odbiorczych, wówczas gest staje się twórczym zachowaniem odbiorcy. Tak dzieje się na przy-

a semantic gesture of the artist, a sort of semantic expression. From this perspective it is attributed to the artist as his/her product, or even an extansion. Umberto Eco would define that form of meaning as a domination of author's intention. When the relationship between the artist and the work's meaning is relaxed, it becomes to a greater extent a produce of an active reception. It becomes a product of inference. A communicative gesture of an artist is processed by the recipient in a way characteristic for her/him, in the context of her/his previous experience, knowledge gained and preferences. If the above transformation takes place in the scope of the very piece, according to its frames, we can still – along with Eco – perceive the reception as subordinate to the intention of the piece. When the frame is transgressed in the interpretation of the piece, the primary role is given to the recipient's intention. Then the communicative gesture on the part of the artist is closest to the third form of gesture under discussion – to the participative gesture of the viewer.

When the artist transforms its own gesture into spatio-temporal gesture structure, when s/he creates an environment where s/he virtualizes a project of interactive recipients' behaviors, then the gesture becomes a creative behavior on the part of the recipients. This is what happens in case of Agnes Hegedus', Christa Sommerer & Laurenta Mignon-

kład w dziełach Agnes Hegedus, Christy Sommerer i Laurenta Mignonneau, Grahame'a Weinbrena. Także w ostatnich pracach Piotra Wyrzykowskiego. Ów interaktywny, kreacyjny gest przeobraża odbiorcę w interaktora. Wprowadza w przestrzeń kreacji. Odbiorca/interaktor poprzez swoje twórcze działanie – gest partycypacji – aktywizuje wirtualny projekt artysty. Powstająca w ten sposób sztuka interaktywna buduje nowy kontekst doświadczeń i refleksji, kontekst, w którym zmienia się sposób postrzegania rozważanego uprzednio gestu komunikowania; także w nim zostaje odkryty, uwypuklony (bądź nadany) charakter partycypacyjny. Odrzuca się wówczas model komunikowania pojmowanego jako transmisja znaczeń (gest semantyczny), proponując w zamian wizję komunikowania pojmowanego właśnie jako interakcja, jako negocjacja znaczeń.

Wydzielenie i wyraźne odseparowanie od siebie trzech wskazanych odmian gestu artystycznego, które zaproponowałem wyżej, jest podporządkowane głównie potrzebom analitycznym. W rzeczywistości tak pojmowane gesty nie często pojawiają się w czystej postaci. Częściej występują powiązane ze sobą w granicach jednego i tego samego dzieła. Wówczas możemy jedynie mówić o ich współdziałaniu i organizacji oraz wskazywać ten rodzaj, który w danym utworze dominuje. Typologia gestów jest o wiele bardziej pożyteczna wtedy, gdy chcemy opisać zjawiska artystyczne ogólniejszego rodzaju. Wydzielenie rodzajów gestu może nam na przykład pomóc przedstawić jedną z możliwych interpretacji przeobrażeń współczesnej sztuki. Daje się bowiem zaobserwować, że tendencje stanowiące o obliczu sztuki w różnych okresach czasowych układają się każdorazowo w konfiguracje, które sprawiają, iż w okresie tym określony rodzaj gestu dominuje częściej niż pozostałe. Do wątku tego powrócę jeszcze w dalszej części niniejszego eseju.

Odnosząc się do gestu jako dzieła sztuki ujmuję łącznie te przypadki, gdzie możemy mówić o rzeczywistym utożsamieniu dzieła z gestem, jak i te, w stosunku do których relacja ta ma charakter bardziej metaforyczny niż dosłowny. Wzrost znaczenia elementów performatywnych w sztuce najnowszej jest związany z jej odprzedmiotowieniem (dematerializacją) i deformalizacją. Wyraża się on jednak nie tylko w rozwoju dyscyplin artystycznych zastępujących artefakt akcją czy działaniem (gestem) ale także prowadzi – w mniej radykalnych realizacjach – do uniezależnienia (w różnym stopniu) ekspresji od dominacji materialnych aspektów dzieła (uwolnienia ekspresji od artefaktu) oraz odnajduje przedłużenie w komunikacyjno-partycypacyjnych aspektach współczesnej twórczości.

Wspomniałem wcześniej, że wydobycie trzech wymiarów gestu artystycznego po-

neau's, or Grahame Weinbren's art. It is also the case of recent works by Piotr Wyrzykowski. The interactive, creative gesture transforms the recipient into the interacting factor. It ushers him/her into the space of creation. Through his/her creative action – the gesture of participation – the recipient/interacting person activates artist's virtual project. Interactive art, appearing in such a way, builds a new context of experience and reflection, the context where the above mentioned communicative gesture is perceived differently; it is here where the participatory character is revealed, and emphasized or attributed. The model of communication understood as a transmission of meaning (semantic gesture) is rejected, in favor of a vision of communication recognized as interaction or negotiation of meanings.

Eliminating and clearly separating of three mentioned types of artistic gesture I have done above is subordinate to the analytic needs. In reality, gestures in their pure form appear quite rarely. More often they happen to be intermingled in the scope of one work. Then we can mention their co-operation and point to the dominating one. Typology of gestures is more practical when we describe a more general art phenomena. It might help to present one of possible interpretations of contemporary art in transformation. It is visible that tendencies defining the face of art in subsequent periods form configurations that make one type of gesture prevalent. I will return to this later in this essay.

Referring to a gesture as a work of art I consider both cases when one can talk about a real identifi-

maga określić jedną z najważniejszych, w moim przekonaniu, tendencji przeobrażających dziś sztukę. Zmiana ta dotyka relacji między artystą i odbiorcą. Ten ostatni zaczyna odgrywać coraz ważniejszą rolę, od niego czy od niej coraz częściej zależy ostateczny kształt dzieła, coraz bardziej zindywidualizowany, inny w przypadku każdego odbioru. Odbiorca decyduje, czy dzieło pozostanie w sferze wirtualnej czy też zaktualizuje się w kreacyjnym doświadczeniu odbiorczym. Analizując teraźniejszość artystyczną w kategoriach gestu stwierdzimy, iż gest ekspresji wypierany jest bądź pozbawiany decydującego znaczenia w sztuce przez gest wyrażający intencję komunikacyjną, ten drugi natomiast odnaj-

cation of the work with the gesture and those when the above relationship is rather of metaphoric than literal. The rise of significance of performative elements in contemporary art related to its de-materialization and de-objectification as well as de-formalization is visible not only through the development of art disciplines replacing the artefact with action or gesture but in less radical works also leads to liberation of expression (to various extents) from the domination of material aspects of the piece (liberation of expression from the artefact) and is continued in communicative and participative aspects of contemporary art.

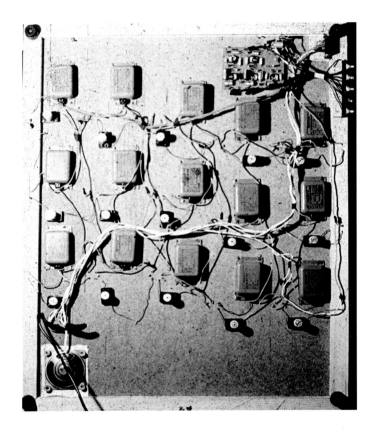

12. Pulso-Funktory 1975-79

duje niezbędne dopełnienie i źródło energii w partycypacyjnym geście odbiorcy, który przeistacza się w ten sposób we współtwórcę wydarzenia artystycznego. Zmiany te nie mają nic wspólnego z wartością powstających dzieł. Tak długo przynajmniej, jak długo traktujemy wartość jako pozaczasową jakość wytworów artystycznych, pozostającą bez związku z postępującymi przeobrażeniami otoczenia, bez związku z transformacjami naszej mentalności. Gdyby jednak uznać, że wartość, jaką przypisujemy dziełu sztuki, nie ma charakteru uniwersalnego, ale że pozostaje w związku z aktualnym stanem jego śro-

As I mentioned before, extrapolating three dimensions of artistic gesture helps – in my opinion – defining one of the most important transformative tendencies in art. The change affects the relationship between the artist and the recipient. The latter starts to play the more and more important role - the final shape of the work depends all too frequently on him or her, and it is more and more individualized, it is different in each case. It is the recipient who decides if the piece remains in the virtual sphere or it becomes actualized in the creative receptive experience. Talking gesture, one should state that the

dowiska, gdyby uznać, że wzrasta wtedy, gdy poszerza jego skalę i horyzonty oraz pogłębia jego doświadczenie, gdy odkrywa ukryte fundamenty organizacji społecznej bądź demaskuje roszczenia ideologii, że wzrasta, gdy broni praw i godności jednostki, a maleje wtedy, gdy sprawia, że zapominamy o świecie w którym żyjemy, wówczas zapewne należałoby uznać, że transformacja sztuki od gestu-ekspresji do gestu-partycypacji jest jej ożywieniem, intensyfikacją jej wartości. Zwłaszcza że transformacja ta nie jest zaprzepaszczeniem czy całkowitym zarzuceniem dawnych jakości. Gest komunikacji przeistaczającej się w partycypację pozostaje ekspresją, ale już pozbawioną narcyzmu, ekspresją świadomą swego kontekstu, adresowaną ku potencjalnym partnerom.

Sztuka interaktywna właśnie okazuje się w tej perspektywie możliwością zespolenia gestu ekspresji z gestem komunikacji i gestem uczestnictwa. Indywidualna ekspresja stapia się w niej ze społecznym dialogiem, romantyzm z pragmatyzmem. Gest artysty uzyskuje przedłużenie w geście odbiorcy-interaktora, a wytwór tego procesu staje się wspólnym dziełem ich obojga. Dziełem-procesem, które pozwala im na refleksję nad otaczającym światem i własną tożsamością. Dziełem-doświadczeniem. Tak przynajmniej dzieje się w przypadku twórczości Mirosława Rogali.

Sztuka Mirosława Rogali jest w omawianym kontekście przykładem niezwykle interesującym. Skupia bowiem w sobie całą opisywaną tu transformację, we wszystkich jej najważniejszych aspektach. Wystawa „Gesty wolności" nie pozostawia pod tym względem żadnych wątpliwości. Można by wręcz sądzić, że twórczość Rogali swym porządkiem historycznym odwzorowuje proces przemian najnowszej sztuki. Obrazy z końca lat siedemdziesiątych, rysunki piórkiem i aerografem z początku następnej dekady, podążające w ślad za tamtymi rysunki komputerowe, wszystkie one znakomicie reprezentują gest ekspresji. Prace wideo z lat osiemdziesiątych, działania performance, fotografie laserowe i cyfrowe, wprowadzają nas z kolei w świat komunikowania; gesty je stanowiące lub kryjące się za nimi zwracają się ku nam – odbiorcom, oczekują rozumiejącej reakcji. I wreszcie interaktywne dzieła multimedialne z lat dziewięćdziesiątych, które dopełniają procesu transformacji, budując przestrzeń otwartą dla aktywnego udziału publiczności.

Nie jest to jednak ruch jednokierunkowy. Aby określić status publiczności swoich interaktywnych dzieł Rogala utworzył pojęcie v-user (viewer-user), chcąc w ten sposób wskazać podwójny charakter postulowanego odbiorcy: obserwatora i użytkownika zarazem. W ten sposób ujawnił też mimochodem, że nie rozstaje się całkowicie z potrzebą ekspresji, a tym bardziej z pragnieniem komunikowania, że jedynie połączył je ze sobą i właśnie przy ich pomocy i w ich imieniu tworzy dziś dynamiczne przestrzenie (environments), w których każdy widz może podjąć dialog zarówno ze sobą, jak i z innymi, przeistaczając się przy tym w twórczego uczestnika wydarzenia ar-

gesture of expression is supplanted or deprived of decisive significance in art by the gesture of communicative intention, which finds necessary complement and source of energy in participatory gesture of the recipient, who transforms in this way into a co-creator of the artistic event. The above changes are not related to the value of the works created at least as long as we treat the value as an extra-temporal quality of art products with no relation to progressing transformations of the environment and of our mentality. If we agree, on the other hand, that the value we attribute to the work of art is not of universal nature, but it is related to the here and now of its environment, if we assent that it rises when the work of art broadens its scale and horizons and makes its experience deeper, when it reveals hidden foundations of the social organization or denounces ideological demands, that it rises when it defends the individual's rights and dignity, and it decreases when makes us forget about the world we live in, then we should admit that art's transformation from gesture of expression to the gesture of participation enlivens it and intensifies its value. Especially that the transformation is by no means a total rejection or deterioration of the former qualities. Gesture of communication transforming into participation is still a type of expression, however devoid of Narcissm, the expression aware of its context, addressed to potential partners.

Interactive art in this perspective turns out to be the possibility of unification of the gesture of expression with the gesture of communication and gesture of participation. Individual expression merges here with social dialogue, romanticism and pragmatism unite. The artist's gesture is continued in the gesture of the interacting recipient, and a result of that process becomes a common work of both. It is a work-process, which allows for reflection on the universe and one's own identity. It is a work-experience. This is certainly the case with Mirosław Rogala's work.

Mirosław Rogala's art is in the above context an extremely interesting example as it converges the whole transformation described here with all its primary aspects. "Gestures of Freedom" exhibition leaves no doubt about that. One may even prove that Rogala's art in its historical development parallels the transformations of contemporary art. Paintings of the late seventies, pen and ink drawings of the beginning of the next decade, ensuing computer drawings – all aptly present the gesture of expression. Video tapes of the eighties, performative actions, laser and digital photography in their turn point towards communicating. Gestures behind them turn towards the recipients and await cognitive reaction. And finally, the interactive multimedia works of the nineties which complete the transformation process by building the open space for active participation of the audience.

This is by no means a unilateral movement. To define the status of the audience of his interactive works, Rogala found a term v-user (viewer-user), to

tystycznego. Ten dialog ogarnia też samą sztukę Rogali, budując jej wewnętrzne relacje: gest partycypacji jest w niej wyrazem potrzeby komunikowania, a oba razem mają, między innymi – jak to pokazuje *Electronic Garden/NatuRealization* – zagwarantować właśnie nieskrępowaną swobodę ekspresji.

Nie jest to jedyny przykład wewnętrznego dialogowego charakteru sztuki Mirosława Rogali. Prezentowana w ramach wystawy praca *Pulso-funktory 1975-79* – powstała najwcześniej ze wszystkich eksponowanych tu dzieł – dowodzi z kolei, że idea partycypacji nie jest bynajmniej końcowym wytworem ewolucji twórczości artysty, lecz że tkwi u jej podstaw. Rysunki komputerowe natomiast, obok ujawnianego gestu ekspresji, są przejawem potrzeby komunikowania, tyle że tym razem nie interpersonalnego; są one rozmową z maszyną, dyskusją z technologią. To jeszcze jeden wymiar interaktywności sztuki Rogali. Prawdopodobnie nie ostatni.

Wszystkie te wymiary spaja jakość nadrzędna, najważniejsza potrzeba – wolność. Gesty wolności – to ostatecznie najtrafniejsze określenie twórczości Mirosława Rogali. I tej wystawy.

point out to the double character of the perfect recipient: the observer and user at the same time. In such a way, he revealed by the way that he by no means got rid of the need if expression, or even less with the desire to communicate. He was mentioned here merely that he united them and with their help and on their behalf he creates today dynamic *environments*, where every viewer may undertake a dialogue both with him/herself and with other users and transform into a creative participant of the art event. The above dialogue concerns Rogala's art itself and it structures its internal relationships: the gesture of participation is an expression of the need of communication, and both together should guarantee the unlimited freedom of expression. This is clearly visible in *Electronic Garden/NatuRealization*.

This is not the only dialogue-like internal character of Mirosław Rogala's art. *Pulso-funktory*, presented in the exhibition – the earliest of all the presented works – proves that the idea of participation is by no means a final result of the artist's creative evolution but that it lie at its basis. Computer drawings in their turn, besides the revealed gesture of expression, are manifestation of the need of communication, but here not interpersonal one; there are a dialogue with a machine, a discussion with technology. This is another aspect of Rogala's art interactive nature. Not the last one, most probably.

All the aspects are united by one, general, superior and most important need – the need of freedom. Gestures of freedom – this is the most accurate description of Mirosław Rogala's art. And of our exhibition.

13. Mirosław Rogala & Shigeko Kubota, videoperformace, 1980

14. Nature Is Leaving Us, Scene V: Pain Leaving, 1989 [21/22]

15. Polish Landscape with the Red Line, Photograph with Laser, 1980

16. Gesture with Light, The Artist's Studio, Chicago, Illinois, 1981

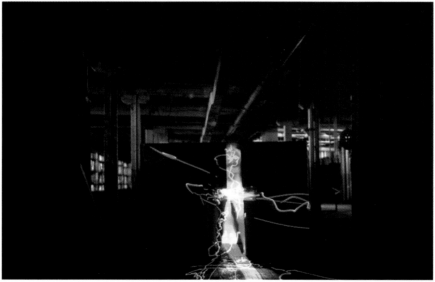

17. Panorama Project Mask, 1982
18. Blue Studio 1, 1982

Mirosław Rogala

DOŚWIADCZENIE SZTUKI INTERAKTYWNEJ

Wprowadzenie

Zmieniająca się rola artysty i jego obowiązki, w tym również jego świadomość społeczna i globalna, to aspekty procesu artystycznego, na które wpływ wywierają, dzięki zbieżności i jednoczesności, czas, miejsce i gest, tak w rzeczywistości fizycznej, jak i cyfrowej. Środki produkcji, finanse, kreacja, odbiór ze strony publiczności i przetrwanie artysty są nierozerwalnie zaangażowane w ten proces.

Sztuka mediów interaktywnych opiera się na różnorodnych technologiach, które modyfikują nasze doświadczenie codzienności oraz artystyczną ekspresję, zachowania i praktyki. Technologie te, ulokowane w silnym kontekście społecznym i politycznym, przechodzą ogromne transformacje.

Interakcja tocząca się na nowych, interaktywnych przestrzeniach/terytoriach wymaga nowych rodzajów zachowania. Złożony potencjał ludzkich interakcji i zachowań drwi z ograniczeń, które napotyka w niezdefiniowanych przestrzeniach/terytoriach skonstruowanych elektronicznie. Nie tylko dłoń może się poruszać w wielu wymiarach: ludzkie ciało umie skakać, chodzić i przyspieszać tempo poruszania się w przestrzeni interaktywnej, w ten sposób wywołując konkretne efekty. Relacje wymiarów w przestrzeni, sposób, w jaki obserwator przyjmuje lub zmienia ograniczenia limitujące ich zachowania oraz otoczenia interaktywne, to nowe kluczowe elementy dynamicznego wykorzystania przestrzeni publicznych i multilokalizacji. Ponadto pojawienie się nowych rodzajów zachowań w nowych otoczeniach może wymagać czasu, a zatem należy wziąć pod uwagę ten wymiar.

Artyści interaktywni od przyglądania się powierzchni rzeczy przeszli do badania procesów, które nimi rządzą, relacji oraz systemów. Ukierunkowali technologiczne strategie tworzenia sztuki w kierunku silniejszego angażowania wirtualnego użytkownika – (w)użytkownika. Tworzenie kultury ma zasadnicze znaczenie dla przetrwania i definicji człowieczeństwa, sztuka zaś odgrywa rolę podstawową w globalnym zrozumieniu współczesnego świata.

ELEMENTY
DOŚWIADCZENIA SZTUKI INTERAKTYWNEJ

W coraz silniej stechnicyzowanej, medialnej, miejskiej i sieciowej kulturze globalnej przechodzimy od doświadczeń indywidualnych i prywatnych do kolektywnych doświadczeń na forum publicznym oraz produkcji sztuki. W pewnym stopniu sam akt dzielenia się dziełem sztuki jest jednocześnie aktem jego upublicznienia. W tym kontekście wprowadziłem termin *(v)user* – (w)użytkownik – który odnosi się do uczestników tego procesu, będących zarówno obserwatorami, jak i użytkownikami funkcjonującymi w interakcji z dziełem sztuki i sobą nawzajem (Bill Seaman zaproponował, także w 1998 roku, podobny termin – *vuser*.)

THE EXPERIENCE OF INTERACTIVE ART

Introduction

Production means, funding, creation, audience reception and the survival of the artist, as well as the definition of artists' responsibilities, their social and global awareness, are all aspects of the artistic process. In the case of interactive art, all of these processes are altered by the convergence and simultaneity of time, place, and gesture in both physical and digital realities.

Interactive media art depends on a variety of technologies, that alter our experience of everyday life as well as artistic expressions, behaviors, and practice. Situated within a strong social and political context , these technologies have been undergoing a remarkable transformation.

Interaction in new art spaces requires new behaviors. The complex potential of human interaction and behavior defies constraints in undefined territories. It is not only the hand that can move in multi-dimensions: the human body can jump, walk, and accelerate motion within space and thereby produce effects. Dimensional relations within spaces, the way in which viewers accept or alter constraints on behaviors, and interactive environments are key elements in dynamic use of public spaces and multi-locations. In addition, new behaviors in new environments may require time to develop, adding a temporal dimension.

Interactive artists have moved from looking at the surface of things to examining underlying processes, relationships and systems, and have directed the technological process of art making toward more engagement and involvement of the viewer. Culture making is essential to human survival and definition and the arts are crucial to a global understanding of the modern world.

ELEMENTS OF INTERACTIVE ART EXPERIENCE

In an increasingly technological, mediated, urban and networked global culture, we move from individual private experience to communal public experience and production of art. To some extent, the act of sharing in an artwork is already the act of making it public. In this context, let me propose use of the term (v)user to refer to participants who are both viewers and users in the interaction with the art work and among themselves (Bill Seamon uses a similar term *vuser*, also coined in early 1998).

The first step towards understanding involves an investigation of interactions among multiple (v)users, an artwork and each other. As a preliminary phase of this investigation, let me sketch a typology of elements of experience and behavior with interactive art. It will present the viewpoint that there is a significant difference between a single (v)user interacting in public space and multi-

Pierwszy krok w kierunku zrozumienia nowej sytuacji sztuki to badanie interakcji między licznymi (w)użytkownikami oraz między użytkownikami a dziełem. We wstępnej fazie tego badania naszkicuję tu typologię elementów doświadczenia i zachowania wobec sztuki interaktywnej. Jej podstawowym założeniem jest konstatacja, że istnieje zasadnicza różnica między indywidualnym (w)użytkownikiem wchodzącym w interakcję w przestrzeni publicznej a wieloma (w)użytkownikami działającymi tak wobec siebie nawzajem i wobec dzieła sztuki.

Chciałbym wskazać na następujące elementy sztuki interaktywnej rozumianej jako doświadczenie: *Gest, Wspólny grunt, Powtórzenie, Rytm, Interfejs, Krzywa uczenia się, Przepływ, Bliskość, Zachowanie, Przypadkowość, Intensywność, Improwizacja/ Spontaniczność/ Wolność, Tworzenie skryptów/Kontrola ze strony artysty, Przestrzeń, Czas, Skala, Granice oraz Mapowanie dynamiczne (Dynamic Mapping).*

Gest

Gest to użycie ruchu ciała lub kończyn jako środka wyrazu: język milczący. Typologia gestu obejmuje gesty służące komunikacji (zorientowane na odbiorcę/ publiczność) oraz nie-komunikacyjne, służące autoekspresji (gdy mówię sam do siebie) oraz w ogóle nie służące ekspresji; są również gesty służące czystej ekspresji. Gesty niesłużące komunikacji są równie ważne, jak te, które podporządkowano celom komunikacyjnym Gesty ekspresji tworzą kategorię najszerszą, obejmując zarówno te, które służą komunikacji, jak i te, które jej nie dotyczą.

Typologia gestu obejmuje również nowe gesty, które zrywają z ludzką tendencją do ruchu w płaszczyźnie horyzontalnej raczej niż wertykalnej: chodzi o gesty służące eksploracji przestrzeni/lokalizacji oraz czasu/trwania w pełnym spektrum ruchów ciała, takich jak skakanie czy wirowanie; chodzi również o wzajemne interakcje, w ramach których uczestnicy widzą się wzajemnie i czynią ruchy zgodne lub przeciwne, celem stworzenia w ramach dzieła sekwencji.

Gesty są najróżniejsze: od wskazania i kliknięcia myszką (przestrzeń komputera/sieci, dostępna poprzez liczne sieciowe powiązania) aż po „swobodne" improwizacyjne gesty w przestrzeni trójwymiarowej, zdefiniowanej przez fizyczne atrybuty ludzkiego ciała, jak dzieje się to w obrazach Jacksona Pollocka. Można by utrzy-

(v)users interacting both with the artwork and each other.

I want to identify the following elements of interactive art as experience: *Gesture, Common Ground, Repetition, Rhythm, Interface, Learning Curve, Flow, Proximity, Behavior, Randomness, Vividness, Improvisation/Spontaneity/Freedom, Scripting/Artist Control, Space, Time, Scale, Boundaries,* and *Dynamic Mapping.*

Gesture

Gesture is the use of body or limb motions as a means of expression: the silent language. The typology of gestures includes communicative (those aimed at a receiver/audience), and non-communicative, auto-expressive (talking to yourself), non-expressive, and expressive gestures. Non-communicative gestures are as valid as communicative.

Within the typology of gesture are those which break with the tendency for humans to move horizontally rather than vertically; those that explore space/location and time/duration through whole body gestures, like jumping or spinning; and mutual interactions, whereby participants see each other and share or oppose movements in order to create a sequence within the work.

19. Tree Gesture, 1987

mywać, że w sztuce interaktywnej podstawowym gestem jest wskazywanie. Tym różni się od kliknięcia myszką i wskazania powiązań, które stanowią fundamentalny gest związany z komputerami i ich siecią.

Warto zwrócić uwagę na postępujące nieruchomienie ciała wraz z rozwojem technologii medialnych: radio wymagało, by słuchacz nadstawił ucha, ale mógł przy tym swobodnie spacerować; z nastaniem telewizji (w)użytkownik musiał zwrócić twarz w kierunku ekranu; natomiast teraz (w)użytkownik komputera został zmuszony do siedzenia dokładnie tutaj, nie gdzie indziej! Choć reakcja widza na przekaz telewizyjny jest bardziej wieloznaczna niż tu opisano, jednak strona dźwiękowa przekazu telewizyjnego jest opracowywana z myślą o potrzebie kompensowania faktu, że telewidz sporo czasu poświęca na oglądanie telewizji mniej skupiony, nie zwracając nań całej uwagi.

Gest wyzwala potencjał zamknięty w masie całego ciała. Odgrywa taką rolę w przestrzeni dwu- lub trójwymiarowej. Podstawowym elementem jest całe ciało – poczynając od gestów drobniejszych (np. uniesienie brwi [Zappa]; poruszanie lub kiwanie głową [Stelarc]; śledzenie przedmiotu wzrokiem [Uniwersytet Illinois-Urbana], machanie ręką [Raysse] czy nawet rozpoznawanie mowy) aż po przemieszczanie całego ciała przez lokalną przestrzeń fizyczną [Steim, *Big Eye*].

W ujęciu fenomenologicznym umysł stanowi złożony system percepcyjno-komunikacyjny, nie zaś odizolowany układ ulokowany w mózgu. Fale mózgowe sterują ruchami ciała oraz budują (nie)równowagę hormonalną i chemiczną. Fale mózgowe mogą sterować wydarzeniami, doświadczeniami, ruchami i kontekstem zdarzeń (jedna z prac Ulrike Gabriel składa się z dużej metalowej płaszczyzny, na której znajduje się kilka robotów; gdy (w)użytkownik skupi na nich uwagę, roboty zaczynają się poruszać [*Terrain 01*]; projekt Keisuke Oki, zatytułowany *Interactive Brain Wave*, wykorzystuje podobne właściwości telekinetyczne). Aktywność mózgu stanowi istotny parametr komunikacji pozawerbalnej i zasadniczy element omawiany w teorii procesów poznawczych. Pojęcie „świadomości" również stanowi czynnik o krytycznym znaczeniu, ponieważ w ostatecznym rozrachunku jedną z funkcji sztuki interaktywnej, a być może nawet każdego dzieła sztuki, jest zmiana świadomości, choćby tylko na czas trwania nowego doświadczenia.

Gest potrzebny by zamknąć cykl interakcji w przestrzeni interaktywnej ma odmienny charakter i konkretne, jemu tylko właściwe cechy. Gesty dłoni dzielą się na trzy fazy: podnoszenie/opuszczanie, dotknięcie i wycofanie. Te zasady dotyczą również gestów w kontekście konwersacyjnym, gdzie mowa i gest ulegają synchronizacji, natomiast gest zarówno antycypuje wypowiedź, jak i się z nią synchronizuje: „gesty ikoniczne, wraz z towarzyszącą im wypowiedzią, dają uprzywilejowany wgląd w myśl. Dają nam najlepszy obraz myśli drugiej osoby, tak dokładny, jak tylko może być dostępny komuś z zewnątrz. Pojmowanie myśli jako dialektyki pozwala nam dostrzec kreatywność w zwykłych, ludzkich aktach, takich jak mówie-

Gestures can range from a point and click (clickable, linkable computer/web space) to a "free" improvisational gesture in 3-D space as defined by the human body's physical characteristics, as in the paintings of Jackson Pollock. It can be argued that a basic gesture in interactive artwork is pointing. This can be distinguished from the mouse-click and the hyperlink as the fundamental gesture of desktop and network computing.

Note the immobilization of the body in the history of technological media development: radio required listening but the listener was still able to walk; with the advent of television, the (v)users had to face the right way; and with computers, the (v)users now have to sit Right Here! While audience response to television is more ambiguous than described here, the acoustic qualities of TV are carefully considered, as much time is spent in improper viewing and compensated for by listening.

Gesture serves as a triggering device, utilizing the whole body mass. It plays the role of a triggering device in 2-D space or in 3-D space. The full body is essential – ranging from smaller gestures (such as raising an eyebrow like Frank Zappa, moving or nodding the head – Stelarc, eyeball tracking – University of Illinois-Urbana, waving an arm – Raysse, or even voice recognition, to moving the entire body through local physical space (Steim, *Big Eye*).

Phenomenologically, the mind is a complex perceptual and communicative system, rather than a confined system within the brain. Brainwaves control body motion and (im)balances of hormonal and chemical nature. A brainwave can control events, experience, motion, and context of events; (one of Ulrike Gabriel's works is composed of a big metal pool containing a number of robots: as the (v)user concentrates, the robots start moving (*Terrain 01*); Keisuke Oki's *Interactive Brain Wave* project, uses similar telekinetic properties). Brain activity is an important parameter in nonverbal communication and an essential element in cognitive theory discussions. The notion of "awareness" is also a critical factor, since ultimately one of the functions of interactive art, and perhaps any artwork, is to alter awareness, even if only for the duration of the experience.

Gesture required to complete the interaction cycle in interactive space has a distinct nature, with specific characteristics of its own. Hand gestures exist in three phases: hand rising and resting, stroke, and retraction. These principles also apply to conversational gesture when speech and gesture synchronize, whereas gestures both anticipate and synchronize: "... iconic gestures, together with the accompanying speech, offer a privileged view of thought. They are the closest look at the ideas of another person that we, the observers, can get. Conceiving of thought as a dialectic lets us glimpse into the creativity within ordinary human acts of speaking, thinking (including visual thinking), and storytelling. Gestures are part of this creativity." (McNeill 1992: 33, 272)

Gesture thus serves a primary role as a means of communication. Gesture is a primary means to es-

nie, myślenie (w tym również myślenie obrazami) oraz opowiadanie historii. Gesty stanowią element tej kreatywności". (McNeill, 1992)

Zatem gest odgrywa zasadniczą rolę jako środek komunikacji. Gest jest pierwotnym sposobem określania, do jakiego typu należy działanie komunikacyjne, zaangażowane w daną interakcję (nakaz, pytanie, prośba, podjęcie dialogu), czy to poprzez ruchy całego ciała, kończyn lub innych części ciała, czy to w interakcji z językiem. Zatem gest wyraża lub podkreśla cel, koncepcje, punkty widzenia i opinie. W szczególności gest jest ucieleśnieniem jedności umysłu z ciałem, do której nawiązuje powyższy cytat: umysł nie jest zamknięty w mózgu, ale zamieszkuje całe ciało i wyraża się poprzez gest.

Wspólny grunt

Wspólny grunt to przestrzeń konceptualna (a nie fizyczna czy bezpośrednia), w której spotykamy się twarzą w twarz i która tworzy ramy dla występowania naturalnej percepcji. W większości przypadków, poza sztuką interaktywną, o tym „wspólnym terenie" nie rozmawiamy; nie widzimy też potrzeby negocjowania jego granic. W sztuce interaktywnej taka negocjacja odbywa się. Umieszczenie dzieła w konkretnym miejscu i jego instalacja tworzy przestrzeń pojęciową, w której współuczestniczy artysta, jego praca oraz (w)użytkownik.

W Anglii pojęcie „zamykania" (*enclosure*) odnosiło się do szesnastowiecznego procesu stopniowego zmniejszania powierzchni wspólnych pastwisk na tablish the type of communication invoked in a given interaction (ordering, questioning, beseeching, engaging in dialogue); or in motions of the body, limbs, or discrete parts, or in interaction with language. Gesture thus expresses or emphasizes purpose, ideas, viewpoints, and opinions. Specifically, gesture embodies the unity of mind and body suggested by the above quotation: mind is not confined to the brain but inhabits and communicates through the body as gesture.

Common Ground

Common ground is the conceptual (rather than physical or unmediated) space in which we meet face-to-face, and which forms the framework in which ordinary perception occurs. Generally, common ground is never discussed or negotiated; however, it is negotiated in interactive art. Siting and installing the artwork provides a conceptual space shared by the artist, the artwork, and the (v)user.

In England, the concept of "enclosure" described the gradual reduction of the common pasture for private use in the 16th century. Is there a parallel in interactivity? Are art and technology expanding or enclosing common ground? Common ground incorporates shared symbols and meanings independent of space. So the definition of an art space as common ground must be understood as implying questions about the basis of communication as well as of perception.

20. Divided We Sing, Pittsburgh Center for the Arts, 1999

rzecz łąk prywatnych. Czy w świecie interaktywności znajdujemy podobne zjawiska? Czy sztuka i technika poszerzają, czy też może ograniczają ów „wspólny grunt"? Tradycyjny i interaktywny wspólny grunt obejmuje wspólne symbole oraz znaczenia funkcjonujące niezależnie od przestrzeni. Zatem definicja przestrzeni sztuki jako wspólnego gruntu musi być rozumiana jako przesłanka do zadawania pytań o podstawy komunikacji oraz percepcji.

Powtórzenie

Powtórzenie odnosi się do negocjowania władzy i panowania nad sytuacją, tworząc zrozumienie interakcji poprzez sprzężenie zwrotne (jak w pracy *Lovers Leap*). Gest interaktywny prosty jak „kliknięcie" i odpowiadająca mu „reakcja" stanowią podstawy dla zrozumienia dalszego rozwoju *mapowania dynamicznego* (o którym niżej).

Powtórzenia tworzą strukturalne podstawy doświadczenia. Mają moc tak ogromną, że wymuszają jedno-jednokładne relacje między działaniami a ich skutkami. Dla (w)użytkownika byłoby rzeczą niepokojącą, gdyby takie samo kliknięcie myszką dawało przewidywalny, konkretny efekt tylko czasami (np. „w 68% przypadków kliknięcie myszką spowoduje to czy tamto"). Jeśli to prawdopodobieństwo będzie zbyt małe (ponieważ rezultaty będą nazbyt niejasne lub różnych możliwości będzie zbyt wiele), (w)użytkownik zacznie odczuwać frustrację i straci poczucie znaczenia i kontroli nad sytuacją.

Powtórzenie – repetycja – jest podstawą rytmu, który wynika z fundamentalnych procesów fizjologicznych, takich jak bicie serca, i buduje podstawowe, dziecięce relacje ze światem: dzieci żądają, by powtarzać im w kółko te same opowieści. Chciałbym wskazać, że w wypadku dzieci owe częste powtórzenia służą wzmacnianiu określonych wzorców neuronowych, nie są zatem tylko sztuką dla sztuki. Powtórzenie jest środkiem, a nie celem samym w sobie, podobnie jak krok od zwykłego powtórzenia do rozpoznawania wzorów.

Powtórzenie stanowi podstawowy filar mediów, w tym również tańca i muzyki. Wzorce i powtórzenia zdominowały dzisiejszą scenę taneczną, zastępując „pozycje", które panowały niepodzielnie w świecie baletu klasycznego. Stąd właśnie bierze się arbitralność gestu, a nawet kształtu ciała w tańcu (post)modernistycznym. Tam, gdzie uwaga skupia się na metamorfozach i zmienności, powtórzenie, występujące pod różnymi przebraniami, stanowi zasadniczy element muzyki, tak improwizowanej, jak i komponowanej. Etnomuzykolodzy tradycyjnie zwykli opisywać muzykę ludową jako wysoce repetytywną, a jednak często jest ona silniej ustrukturyzowana poprzez stopniową akumulację odmian.

Zorientowane na powtórzenia aspekty imitacji, indukcji oraz konwencji to formy społeczne usankcjonowane obyczajem powszechnie panującym w świecie artystycznym. Przemysł medialny zasadza się na powtarzaniu tego samego, z drobnymi tylko zmianami. Chociaż sztuka jest często kojarzona ze swobodną improwizacją, jednak żadna interaktywna sztuka medialna nie może istnieć bez wzorców powtórzeń.

Repetition

Repetition refers to the negotiation of power and control, establishing the understanding of interaction through feedback (as in *Lovers Leap*, 1995.) Interactive gesture as simple as "click", and its associated "response" provides the basis for understanding further development of *dynamic mapping* (see below).

Repetition provides a basic structure for experience. It is so powerful that it almost forces linear relationships between acts and the resultant outcomes. It would be very disturbing for a (v)user if a click would only statistically lead to a certain result ("in 68% of the cases, your click will lead to this or that"). If this probability is not high enough, (depending on whether the results are too fuzzy), the (v)users get frustrated and lose a sense of meaning and control.

Repetition is the basis of rhythm, a fundamental physiological process such as the pulse, and a fundamental infantile relationship with the world: children demanding the repeating of stories. I want to argue that the use of repetition by children reinforces established neural patterns, rather than being just repetition for its own sake. Repetition is a means, not a goal in itself, as it is in the shift from simple repetition to the recognition of patterns.

Repetition is a basic tenet in media, such as dance and music. Patterns and repetitions have become predominant in today's dance scene, replacing the use of "positions", which dominate the classical ballet. Hence we see the arbitrariness of the gesture and even the shape of the body in (post) modern dance. Where the focus is on metamorphosis, variation, repetition in disguise, is basic to both improvised and composed music. Ethnic music has been typically described by ethnomusicologists as highly repetitive, yet is more structured by the gradual accumulation of variations.

The repetitive aspects of imitation, induction, and convention are social forms sanctioned by general custom in an artistic context. Media industries are predicated on the notion of repetition with slight change. Although art is often associated with free improvisation, without the patterning of repetition, no interactive media art can exist.

Rhythm

Rhythm is a movement or activity involving structured sequences of learned behaviors. Rhythm overlaps with repetition. Rhythm is repetition with the additional requirement that the relationship of the events in time be meaningful. The development of repetition includes variations on a rhythmic theme (as in drumming), and allows the overlay of more than one repeated pattern over another (as in lunar over solar calendars), to produce complexity and emergence. This model of rhythm allows one (v)user to layer a stepping rhythm over a clapping one, as an example. One person's rhythms can be layered over those of another.

Rhythm is assigned a place alongside "flow" in Eastern philosophy. In Western philosophy, rhythm is related to discrete, the linear, the time-based, and

21. Electronic Garden, Warsaw Design

Rytm

Rytm to ruch lub działanie wiążące się z ustrukturowanymi sekwencjami wyuczonych, regularnie powtarzanych zachowań. Rytm i powtórzenia mają dużo elementów wspólnych. Rytm to powtórzenie, któremu towarzyszy warunek znaczącości relacji między wydarzeniami zachodzącymi w czasie. Rozwijanie elementów powtórzenia obejmuje wariacje na temat rytmiczny (np. perkusja) i umożliwia nakładanie się na siebie wielu powtarzalnych schematów (np. kalendarze słoneczne i ich nakładanie się na rytm księżycowy), co prowadzi do złożoności i wyłaniania się. Ten model rytmu umożliwia jednemu (w)użytkownikowi nakładanie na przykład rytmu wytupywanego na rytm wyklaskiwany. Rytmy jednej osoby mogą nakładać się na rytmy innych.

W filozofii Zachodu rytm wiązany jest z pojęciami takimi jak dyskretność, linearność, czasowość. Aby utrzymać rytm w muzyce, trzeba przestrzegać odstępów czasowych. Rytm to metoda zapanowania nad czasem. W swoim podstawowym dziele poświęconym Eurytmii, powstałym pod koniec dziewiętnastego wieku, Dalcroze traktuje rytm jako podstawę uczenia muzyki. Zasadą harmonizującą było doprowadzić do równowagi człowieka: „Kiedy komunikacja wewnętrzna bez wysiłku i bez zakłóceń przepływała pomiędzy ciałem, umysłem i duchem, poziom pracy, wnikliwość analizy i kreatywność rozwijały skrzydła" (Schnebly-Black i Moore, 1997). W muzyce tworzonej poza świa-

time keeping. To be in rhythm in music you keep time. Rhythm is a way to master time. In his pivotal work on Eurhythmy in the late 19th century, Dalcroze envisioned rhythm as an approach to learning music. His harmonizing principle was a way to bring people into balance: "When internal communication flowed effortlessly between body, mind, and spirit without interference, the level of performance, insight, and creativity soared" (Schnebly-Black and Moore, op cit., p. 6). In non-western music, polyrhythmic are universal. For computers, nothing is simpler than polyrhythmy. Indeed, meaning as noise may arise from variations in rhythmic activity, such as a sudden halt in a regular walking rhythm, the caesura in poetry or syncopation and polyrhythmy in music. The computer can perceive rhythm where the human consciousness may not.

Interface

Interface implies design: interaction that is mediated by an interface is by necessity filtered through the assumptions present in the design of the interface. The assumptions made by someone who is learning to use a computer mouse for the first time are more explicit than those active in face-to-face communication: it is therefore possible for technologically mediated communication to be less encumbered by common assumptions. Distinct from common ground, interface is an uncommon ground of

22. Lovers Leap, Computer Sketches, 1994

tem Zachodu polirytmia występuje wszędzie. Dla komputera nie ma rzeczy prostszej niż polirytmy. Znaczenie jako dźwięk – zdarzenie o charakterze entropicznym – może wynikać ze zmiany w rytmice działania, tak jak nagłe wstrzymanie kroku w czasie miarowego marszu, cezura w poezji czy synkopa oraz polirytmia w muzyce. Możliwe jest stworzenie programu komputerowego, który będzie postrzegał rytm tam, gdzie może go nie dostrzegać ludzka świadomość.

Interfejs

Interfejs opiera się na konkretnym projekcie (design). Interakcja zachodząca za pośrednictwem interfejsu będzie, siłą rzeczy, przefiltrowana przez założenia obecne w jego projekcie. Założenia, jakie czyni ktoś, kto po raz pierwszy posługuje się komputerową myszką, mogą być postrzegane jako określone bardziej *explicite* niż założenia, jakie przyjmujemy w komunikacji bezpośredniej z drugim człowiekiem. Jest zatem możliwe, aby technologicznie mediowana komunikacja była mniej skrępowana wspólnymi założeniami. W odróżnieniu od „wspólnego gruntu", interfejs jest gruntem nie-wspólnym, tym, co niekoniecznie łączy nas w trakcie spotkań twarzą w twarz; dlatego właśnie nie odnoszą się do niego ideologiczne lub dyskursywne struktury zdrowego rozsądku.

Pojawiają się tu jednak następujące pytania: czy interfejsy sąsiadują z domeną „wspólnego gruntu"? Czy interfejsy tworzą strefy konfliktu? Czy można postrzegać interfejsy jako źródła dyskursu i ideologii, którą przeniknięty jest zdrowy rozsądek?

Interfejsy mogą być również postrzegane jako „strefa przekładu". Wszelkiego rodzaju informacje są przekazywane do innego systemu i w trakcie tego procesu tłumaczone na bardziej lub mniej znaczące kategorie systemu „odbiorczego". Zatem natura interfej-

what is not necessarily shared in face-to-face encounters; by that token, it is not subject to the ideological or discursive structures of common sense.

These questions arise: Are interfaces adjacent to common ground domains? Are interfaces conflict zones? Can interfaces be seen as the origins of the discourse and the ideology that permeates common sense?

Interface may also be viewed as a "translation zone." Information of any kind is passed on to another system, and in the course of the process it is translated into more or less meaningful terms for the "receiving" system. That means that the very nature of the interface is not only dependent on the systems that share the interface, but also that it influences the kinds of discourse that may be possible. In that way, interfaces are the ideal instruments for ideological enactment, serving as Power and Information.

Learning Curve

The *learning curve* refers to the difficulty and/or time it takes to undertake the process of understanding how to interact with the artwork and how to understand the interface.

As applications become increasingly complex, the learning curve has become steeper, a process which has lead to the development of *dynamic mapping* as a method for constructing interactive artworks. Interactive systems require repetition in order to learn them. The learning curve for the overall system grows steeper, because each subsystem or distinct map must be learned individually.

The question is raised: do interactive artworks have to be learned? Can a (v)user be simply immersed in a world and appreciate the sensations without get-

su nie tylko zależy od systemów, pomiędzy którymi jest ulokowany, ale również przyczynia się do określania, jakie rodzaje dyskursu są możliwe. W ten sposób interfejsy stanowią idealne instrumenty wdrażania ideologii, służąc jako nośnik władzy i informacji.

Krzywa uczenia się

Krzywa uczenia się odnosi się do trudności oraz/lub czasu potrzebnego do osiągnięcia zrozumienia tego, w jaki sposób wchodzić z dziełem w interakcje i jak interpretować interfejs.

W miarę narastania złożoności krzywa uczenia się pnie się w górę coraz bardziej stromo. Ten proces doprowadził do powstania metody *dynamicznego mapowania*, służącej do konstruowania interaktywnych dzieł sztuki. Nauczenie się systemów interaktywnych wymaga od (w)użytkownika powtarzania działań. Krzywa uczenia się dla ogólnego systemu jest coraz bardziej stroma, ponieważ każdy podsystem lub odrębna mapa wymaga indywidualnego wyuczenia.

Pojawia się tu pytanie: czy interaktywnych dzieł trzeba się koniecznie nauczyć? Czy nie można byłoby po prostu zanurzyć (w)użytkownika w ich świecie i oczekiwać, że doceni wrażenia, niekoniecznie panując nad całością (opanowanie całości wymagałoby wszak wyuczenia się całej struktury)? Czy systemy bardziej złożone są estetycznie „lepsze"? Paradoksalnie mogłoby to sugerować, że bardzo złożone systemy, których w ogóle nie sposób się nauczyć, reprezentują standard estetyczny lepszy od tych mniej skomplikowanych.

Przepływ

W filozofii Wschodu rytm sąsiaduje z pojęciem „przepływu". Estetyka złożonego dzieła sztuki przeznaczonego do pojedynczej lub wielokrotnej interakcji implikuje płynną ciągłość (przepływ) oraz ruch lub działanie, w którym jakieś działanie czy element występuje regularnie (rytm). Zgodnie z tradycyjnym rozumieniem „muzycy, występując przed publicznością, dążą do osiągnięcia takiego przepływu. Starożytni Grecy używali słowa *Eurytmia* również w odniesieniu do dobrej formy sportowca, a nawet do cieszącego oko kształtu posągu. Kiedy brakuje płynności, mówimy: 'Ten sportowiec chyba nie najlepiej czuje się w tej dyscyplinie', albo: 'Nie podoba mi się ten posąg', albo: 'Architektura tego budynku jest niespójna'. Gdy chodzi o muzykę, mówimy natomiast: 'Ta muzyka mnie nie poruszyła'". (Schnebly-Black i Moore, 1997, s. 3)

Kiedy dwudziesty wiek dobiegał końca, Csikszentmihalyi stworzył teorię optymalnego doświadczenia, opartą na pojęciu „przepływu", rozumianego jako „stan, w którym ludzie są tak dalece zaangażowani w jakieś działanie, że nic innego nie wydaje się być dla nich ważne; samo doświadczenie jest tak przyjemne, że ludzie chcą je przeżywać, nawet, jeśli wiąże się to z ogromnymi kosztami, dla samej przyjemności jego wykonywania w długim okresie doświadczenia optymalne sumują się, dając poczucie mistrzostwa – lub, lepiej, poczucie współudziału w określaniu treści życia – wówczas jesteśmy tak bliscy tego, co zwykliśmy określać mianem szczęścia, jak tylko można sobie wyobrazić". (Csikszentmihalyi , 1990, s. 4)

ting control by learning the overall structure? Are more complex systems aesthetically "better"? Paradoxically this would suggest that very complex, utterly unlearnable systems are of a higher aesthetic standard than less complex ones.

Flow

The aesthetics of complex, interactive artworks for single and multiple interaction implies a smooth continuity (flow) and a movement or activity in which some action or element occurs regularly (rhythm). As traditionally perceived "musicians strive for this flow when performing. The ancient Greeks also used the term *Eurhythmy* to refer to the good form of an athlete in action or even the pleasing shape of a statue. When flow is missing, we say, "That athlete is off his game", "I do not like that statue", or "That architecture is fragmented". In a musical performance we say, "The music did not move me". (Schnebly-Black & Moore, p. 3)

As the 20th century closes, Csikszentmihalyi has developed a theory of optimal experience based on the concept of "flow": "... the state in which people are so involved in an activity that nothing else seems to matter; the experience itself is so enjoyable that people will do it even at great cost, for the sheer sake of doing it...in the long run optimal experiences add up to a sense of mastery – or perhaps better, a sense of *participation* in determining the content of life – that comes as close to what is usually meant by happiness as anything else we can conceivably imagine (1990, p. 4).

In which senses can the interactive experience be said to be continuous or disruptive? Does disruption mean more control, while continuity implies a flow of experience which the (v)user cannot command?

Proximity

Proximity refers to relationships of physical bodies and mediated experience amplified through media: sound amplification, image and scale. There is a distinction to be made between physical proximity and mental proximity, and also between physical proximity and virtual proximity, the latter created through the amplification of sound or enlargement of the image that brings the (v)user virtually closer to the image.

Proximity also involves the other senses: smell, taste and touch. It also has to do with infringements on the territories of the body: private, semi-public and social boundaries. Enlarged images and amplified sound fill in the lack of bodily proximity in body-phobic cultures. Proximity involves a "sensing" of space and objects within it, an awareness that is itself characterized by continuity and flow. In *Divided We Stand* (1997), proximity is equated with the behavior of the system. Disruption can be perceived as the inability to negotiate a sense of proximity. Inability to figure out what is proximate or not proximate leads to one of the greatest perceptual disruptions we can have, because we are unable to sense where we are in relation to other things.

W jakim sensie doświadczenie interakcyjne można
określić jako ciągłe lub przerywane? Czy owo przery-
wanie oznacza większą kontrolę nad tym, co się
wydarza, podczas gdy ciągłość implikuje przepływ
doświadczeń, nad którymi (w)użytkownik nie może pa-
nować?

Bliskość

Bliskość odnosi się do relacji między ciałami fizycznymi oraz do doświadczeń wspieranych przez media:
wzmocnienie dźwięku, tworzenie obrazu oraz skalo-
wanie. Należy rozróżnić bliskość fizyczną i umysło-
wą, jak również bliskość fizyczną i wirtualną; ta ostatnia powstaje poprzez wzmocnienie dźwięku lub

23. Divided We Speak, Museum of Contemporary Art, Chicago, Illinois, 1997

powiększenie obrazu, przez co (w)użytkownik w sposób wirtualny przybliża się do ich źródła.

Bliskość dotyczy również innych zmysłów: zapachu,
smaku i dotyku. Wiąże się również z wtargnięciem na
terytorium ciała: z granicami sfery prywatnej, półpu-
blicznej i społecznej. Powiększone obrazy i wzmocniony dźwięk kompensują brak cielesnej bliskości
w kulturach nacechowanych fobią ciała. Bliskość wiąże się z „odczuwaniem" przestrzeni i przedmiotów
w niej obecnych, świadomością, która sama w sobie
charakteryzuje się ciągłością i płynnością. W pracy
Divided We Stand bliskość została utożsamiona z zachowaniem systemu. Zerwanie ciągłości może być
postrzegane jako wyraz niezdolności do poradzenia
sobie z poczuciem bliskości. Niezdolność do zorien-
towania się, co znajduje się blisko, a co dalej, prowadzi do najpoważniejszych z możliwych zakłóceń
ciągłości percepcyjnej, ponieważ sprawia, że nie je-

steśmy w stanie wyczuć swego położenia względem innych rzeczy.

Zachowanie

Wyróżniamy *zachowania analogowe* (funkcjonowanie ciągłe) oraz *cyfrowe* (rozbite na elementy nieciągłe). Jeśli chodzi o te drugie, ten sam gest lub działanie mogą zostać powtórzone z większą dokładnością. Ta obserwacja wiedzie do sformułowania koncepcji *tłumów wirtualnych/cyfrowych*. Zachowania cyfrowego tłumu poddają się manipulacji, łączeniu w sieci, są gęste, podatne na kompresję i bezstronne.

Ludzkie uczucia mają z natury charakter analogowy, co może wyjaśnić, czemu przeprowadzono tak niewiele badań nad znaczeniem emocji, afektywnych zainteresowań ludzkich oraz zmienności emocjonalnej, tak kulturowej, jak i geograficznej. Dalszych badań wymaga kwestia jak zmobilizować intensywne uczucia w)użytkowników – takie, jak gniew, miłość, nienawiść i rozpacz – w ramach doświadczania przez nich interaktywnych, cyfrowych dzieł sztuki.

Przypadkowość

Przypadkowość to niespodzianka wtrącona w opanowaną, kontrolowaną strukturę. Każda wizyta, każda interakcja zmienia kierunek doświadczania dzieła sztuki przez (w)użytkownika. Przypadkowość jest w życiu czymś naturalnym, jest obecna nie tylko w środowisku, ale również w kontroli sprawowanej nad własnymi zachowaniami i ciałem, szczególnie w nieznanym otoczeniu. Z punktu widzenia maszyny, podchodząc do rzeczy cynicznie, (w)użytkownik jest zaledwie generatorem liczb losowych. Przypadek i zbieg okoliczności, rola wypadku, szczęścia i przeznaczenia, a także to, co nie poddaje się powtórzeniom, tworzą przestrzeń, w której możliwe jest rozważanie niepowtarzalnych doświadczeń ludzkich, takich jak narodziny i śmierć. Zdarzenia przypadkowe umożliwiają umysłowi tworzenie nowego porządku przez wbudowanie ich zaskakujących wydarzeń w szerszą strukturę. Pod warunkiem ich odpowiedniej regulacji, wydarzenia te nadają zaprogramowanym doświadczeniom złudny aspekt szerszej struktury i głębszego znaczenia. Jak gdyby za sprawą czarów umysł obserwatora tworzy znaczenie tam, gdzie brakowało go w oryginalnej treści. Fakt, że znaczenie powstaje dzięki działaniom przypadkowym, wcale tego znaczenia nie umniejsza. Przypadkowość może funkcjonować w sposób zbliżony do formalnej struktury wiersza: arbitralne ograniczenia mogą zmusić umysł do szukania i tworzenia nowych rozwiązań, podobny rezultat mogą przynieść również nieoczekiwane zdarzenia.

Czy przypadkowość jest przeciwieństwem rytmu? Wiele osób skłonnych byłoby twierdzić, że tak nie jest; szczególnie dotyczy to wyznawców teorii chaosu, którzy utrzymują, że przypadkowość ma własny rytm, który nie poddaje się naszej percepcji. Istnieje pewien element łączący rytm (nacechowany redundancją) i przypadkowość (nacechowaną entropią) – tak jedno, jak i drugie jest uzależnione od pewnego stopnia powtórzenia. Można by zatem utrzymywać, że różni (w)użytkownicy doświadczają dzieła sztuki jako pełnego znaczeń lub ich pozbawionego w zależności

Behavior

We can distinguish between *analog behavior* (continuous functioning) and *digital behavior* (broken into discrete elements). With digital behavior, the same gesture or action can be replicated with higher degrees of accuracy. This observation of conduct leads to the development of *virtual/digital crowds*. The behaviors of digital crowds are manipulable, networkable, dense, compressible, and impartial.

Human emotions are analog in nature, which may explain why there have been few studies on the significance of emotions, the affective interests of people, and the variance in emotions culturally and geographically. One area for further exploration is how the intense feelings of (v)users – such as anger, love, hatred, despair – can be mobilized in the experience of the interactive digital artwork.

Randomness

Randomness is a surprise injected into a controlled structure. Each visit, each interaction changes the direction of the (v)user's experience of the artwork. Randomness is a fact of life, not only in the environment but also in the control of bodily activities, especially in unfamiliar surroundings. From the machine's point of view, in one cynical sense, the (v)user is merely a random-number generator. The accidental and contingent, the role of chance, luck and destiny, and the create a space for the contemplation of unrepeatable human experiences like birth and death. Random events allow the mind to create a new order, incorporating surprising events into a larger structure. If properly regulated, these events give the illusion of broader structure and deeper meaning to a programmed experience. Magically, the meaning is created in the mind of the observer, even though it was lacking in the original content. The fact that the meaning is created through the action of randomness does not invalidate that meaning. Randomness can function in a manner similar to formal structure in poetry: arbitrary constraints can force the mind into novel solutions.

Is randomness the opposite of rhythm? Many would argue otherwise, particularly those who espouse chaos theory: that randomness has rhythm of its own, but one that is hidden from our perception. There is a bridge between rhythm (which is redundant) and randomness (which is entropic) – both of which are dependent on degrees of repetition. It can be argued thus that different (v)users experience a work of art as meaningless or meaningful, depending on their intimate knowledge of the work and its embedded rhythms (that is: its embedded redundancy and entropy). Randomness is also destruction of rhythm and time: where rhythm and time are destroyed through randomness, what is left is improvisation.

Vividness

There are two kinds of vividness (or intensity of experience) – one that comes from repetition, in which familiarity impresses a message into the bra-

24. Divided We Sing, Pittsburgh Center for the Arts, 1999

od tego, czy są blisko zaznajomieni z samym dziełem i jego wewnętrznymi rytmami (a konkretnie jego wewnętrzną redundancją i entropią). Przypadkowość oznacza również możliwość zniszczenia rytmu i czasu.

Intensywność

Istnieją dwa rodzaje intensywności (czy też ostrości doznań) – jedna wynika z licznych powtórzeń, które wtłaczają w umysł wrażenie znajomości danej sprawy, druga zaś jest rezultatem zaskoczenia, nieoczekiwanego charakteru obrazu lub dźwięku, które przesądzają o tym, że odbieramy je szczególnie mocno.

Pytania związane z intensywnością doznań pojawiają się w kontekście funkcjonowania gestu – czy wiąże się ona ze skalą, czy z tym, że dany gest jest postrzegany jako coś oczywistego? Czy może odnosi się do relacji pomiędzy gestem a tym, co oczywiste, do istotnej, wyraźnej zmiany w otoczeniu interaktywnym? A może wynika z funkcjonowania kodów kulturowych, takich jak machanie komuś na pożegnanie albo klęczenie w celu uzyskania wybaczenia?

Intensywność oznacza silne oddziaływanie na zmysły. Sięga poza zwykłą stymulację i musi obejmować podwyższony stopień koncentracji uwagi. Intensywny, ale niewywołujący zainteresowania bodziec, czy to powtarzany, czy nieoczekiwany, wywołuje po prostu irytację. Naprawdę intensywne doświadczenie musi obejmować składową o charakterze emocjonalnym, osadzoną w kodach kulturowych i rytuale.

in, and another that comes from surprise, the unexpectedness of the image or sound making it striking.

Questions of vividness arise in the context of gesture – does it refer to the scale of the gesture, its obviousness? Or does it refer to the relationship between gesture and an obvious and large-scale change in the interactive environment? Or to the cultural codes of waving good-bye or kneeling for forgiveness?

Vividness implies a strong impression on the senses. Vividness goes beyond simple stimulation and must include heightened attention. Intense stimulation without interest, whether repeated or unexpected, is simply annoying. To be vivid, an experience must include an emotional component, in cultural codes and ritual. Vividness is dependent upon context for its meaning. The eGarden context is illustrative of this: it depends for its effect on the connection between experience and interactivity that evokes a more vivid sense of presence.

Vividness is directly tied to memory. A vivid experience is more likely to create a long lasting, richly detailed memory. The word is derived from the Latin for "life." A vivid experience lives in the mind.

Vividness has to do with the synergism between the senses, too. A sudden visual burst is heightened by a complementary auditory or tactile or olfactory burst. There are strong emotional senses

Intensywność, by nabrała znaczenia, potrzebuje odpowiedniego kontekstu. Kontekst pracy *Electronic Garden/NatuRealization* dobrze to ilustruje: efekt tej pracy jest uzależniony od powiązania między doświadczeniem a interaktywnością, która powoduje, że bardziej intensywnie odczuwamy obecność.

Intensywność jest bezpośrednio związana z pamięcią. Przeżycie intensywne prawdopodobnie pozostanie w pamięci dłużej, wspomnienie zaś o nim będzie wyrazistsze i bardziej szczegółowe. Angielskie słowo *vivid* (intensywny, dobitny) pochodzi od łacińskiego *vivo*, czyli żywy. Intensywne doświadczenie trwa w umyśle.

Intensywność doznań można osiągnąć również dzięki synergii zmysłów. Oddziaływanie nagłego impulsu wzrokowego wzmacnia jednoczesny impuls dźwiękowy, dotykowy lub olfaktoryczny. Wiążą się z tym silne emocje – aby doświadczenie było naprawdę intensywne, musi obejmować komponent emocjonalny podobny do tych, jakie są osiągane w rytuałach. Przykładem jest wręczanie podarunków – akt, który ulega rytualizacji dzięki powtórzeniom, ale jednocześnie pozostawia wystarczająco dużo miejsca dla improwizacji, dzięki której dane działanie jest wyraziste, a zatem trwale zapada w pamięć. W takim wypadku kwestia intensywności odnosi się do relacji pomiędzy darem (dziełem sztuki), który autor ofiarowuje (w)użytkownikowi, a darem uwagi, jaki ze swej strony ofiarowuje dziełu (w)użytkownik.

Improwizacja / spontaniczność / swoboda

Zaplanowane, celowe gesty oraz improwizacje o charakterze interaktywnym to punkty należące do kontinuum, które dopuszcza również możliwość informacji zwrotnej (*feedback*), udzielanej w bezpośrednim kontakcie lub za pośrednictwem mediów. Działania są możliwe dzięki wspólnemu wielu (w)użytkownikom zrozumieniu potencjału, możliwości i wyzwań stawianych przez otoczenie i innych (w)użytkowników. Obejmują zarówno zaplanowane performance'y (więcej dla widzów), jak i swobodną formę improwizacji (więcej dla uczestników).

Improwizacja pozwala na czasowe i przestrzenne współistnienie tworzenia i konsumpcji dzieła sztuki. Proces improwizacji może ewoluować tylko w takim zakresie, w jakim interakcja pozwala (w)użytkownikowi na redagowanie struktury pracy. Improwizacja jest często rapsodyczna. W ujęciu romantycznym sprawia to, że jest wrażliwa i delikatna; jej siła bierze się z dojmująco czytelnych gestów należących do – jak zakładamy – wspólnego słownika. Tu znowu pełna swoboda doprowadziłaby do pełnej entropii gestu. Dopiero wysoce wyszkolony (w)użytkownik umie docenić improwizację. Z drugiej strony, improwizacje niosą ogromne bogactwo znaczeń dla osób w nich uczestniczących: na przykład muzycy czerpią wiele radości z tak zwanych *jam sessions*. Improwizacja daje uczestnikom szansę budowania tymczasowych zbiorów zasad gramatycznych, ich zmiany oraz jednoczesnego komunikowania się w ramach lokalnej struktury. Jest to prawdziwa gra, w podstawowym znaczeniu tego słowa.

implied – to be vivid an experience must include an emotional component akin to that achieved in ritual. Gift giving is an example of such a ritual, an act that becomes ritual through repetition but which retains sufficient room for that element of improvisation that renders the act vivid, and thus memorable. The question raised by vividness is then the relation between the gift the author makes, of the artwork, to the (v)user, and the gift of attention the (v)user makes to the work.

Improvisation/Spontaneity/Freedom

Interactive gesture and improvisation are points on a continuum which allows also for both spontaneous face-to-face and mediated feedback. This activity enabled by a shared multi-(v)user understanding of the capabilities, capacities and challenges of the environment and other (v)users. It can emerge into scripted performances (more for spectators) as well as in free-form jamming (more for participants).

Improvisation lets the creation and the consumption of a work of art coincide in time and in space. Only insofar as interaction lets the (v)user edit the structure of the work can an improvisational process evolve. Improvisations tend to be rhapsodic. In a romantic sense, that makes them fragile; they draw their power from the vividness of gestures in a presumed shared vocabulary of gestures. Again, complete freedom would make every gesture entropic. It takes a highly trained (v)user to appreciate an improvisation. Conversely, improvisations are very meaningful for those who are involved: jamming, for example, is lots of fun for musicians. It gives them the opportunity to build a temporary set of grammatical rules, change them and communicate at the same time within the local structure. It is real Play, in its most fundamental sense.

Scripting/Artist Control

Scripting is the opposite of improvisation, and refers to the role of the artist as author or conductor. Scripting consists of a culturally based understanding of what can, or can not or should not happen in a given frame. We work within these rules.

Space

Space is a limitless dimension in which all things exist or move: a definite and empty place. It can be identified as either local – the space of face-to-face interaction; or global – the interface, virtual space of intimate creations. It refers to the division between the inside and outside of the subject. The traditional spatial arts are sculpture and architecture: we have no name yet for the geographical arts of transmission and networked communication.

Time

Time is a point or period when something occurs: a person's experience during a particular period. Interactive gesture of hand, body, and mind always imply duration.

Time can be identified as either the durations of meetings in local space; or the instantaneity, the

Tworzenie skryptów / kontrola sprawowana przez artystę

Tworzenie *skryptu* to przeciwieństwo improwizacji. Tutaj artyście przypada rola autora lub dyrygenta. Skrypt polega na zakorzenionym w kulturze zrozumieniu tego, co może, co nie może lub co nie powinno zdarzyć się w danym kontekście (ramie). Pracujemy w przestrzeni określonej tymi zasadami.

Przestrzeń

Przestrzeń to wymiar nieograniczony, w którym istnieją lub poruszają się wszystkie przedmioty: jest to zdefiniowane, puste miejsce. Można ją określać w ujęciu lokalnym – przestrzeń w interakcji bezpośredniej, twarzą w twarz; lub globalnym – przestrzeń wirtualna intymnej twórczości, z udziałem interfejsu. Odnosi się do podziału pomiędzy wnętrzem i zewnętrzem przedmiotu. Tradycyjne sztuki przestrzenne to rzeźba i architektura; wciąż jeszcze brak nam nazwy dla geograficznych sztuk transmisji i komunikacji sieciowej.

Czas

Czas to punkt lub okres, w którym coś się dzieje: doświadczenia osoby w danym okresie. Interaktywne gesty dłoni, ciała i umysłu zawsze implikują trwanie. Czas może przejawiać się albo jako trwanie spotkania w przestrzeni lokalnej, albo jako natychmiastowość, wspaniała, potworna zdolność redukowania odległości (w przestrzeni i czasie) do zera. W sztukach marvelous, the monstrous quality of reducing distance (such as space and time) to zero. In the media arts, the interplay between live transmission and playback, between narration and spectacle, and between recording and generation make time raw material for art practice. David Harvey has argued that one of the chief characteristics of postmodernity has been the compression of our spatial and temporal worlds, whereby "time horizons shorten to the point where the present is all there is". This compression – or resistance against it – can become a tool for the interactive media artist.

Scale

Scale is typically used as a standard of estimation or judgment. It can be graduated or arranged in a graded series; a series of musical tones going up and down in pitch; or apportioned into customary spaces as an aid in drawing or measurement. As applied to interactive gesture and virtual and physical realities, it concerns the mediation of input and output, effects and causes. In digital, virtual, and physical realities, scale is malleable, flexible, and varied.

Peter Anders notes that interfaces do not necessarily "use the same gestures for movement; many treat space as a void and the objects within it as stationary...the user is assumed to be at a scale smaller than the environment- and implicitly subject to it." Analog gesture has its own scale, which

25. Rising Above, 1996

medialnych gra pomiędzy transmisją „na żywo" a odgrywaniem wcześniej zarejestrowanego materiału, pomiędzy narracją a spektaklem, pomiędzy nagrywaniem a generowaniem zdarzeń sprawia, że czas staje się surowcem dla sztuki. Harding (1997) utrzymuje, że jedną z głównych cech postmodernizmu jest kompresja naszych światów przestrzennych i czasowych, w której wyniku „horyzont czasowy zamyka się w punkcie teraźniejszości, poza którą nie ma już nic". Taka kompresja wymiarów – albo opór jej stawiany – może stać się narzędziem w rękach artysty działającego w mediach interaktywnych.

Skala

Skala służy zwykle jako standard dla potrzeb oszacowania lub oceny. Skala podlega stopniowaniu lub szeregowaniu; szereg dźwięków muzycznych wznoszących się i opadających; skala zwyczajowo przypisana konkretnym przestrzeniom służy pomocą w trakcie rysowania lub pomiaru. W odniesieniu do interaktywnego gestu oraz rzeczywistości wirtualnej i fizycznej skala wiąże się z mediacją pomiędzy wkładem a rezultatem, skutkiem a przyczyną. W rzeczywistości cyfrowej, wirtualnej i fizycznej skala jest elastyczna, różnorodna i podatna na kształtowanie.

Anders (1999) zauważa, że interfejsy niekoniecznie „wykorzystują takie same gesty dla ruchu; wiele z nich traktuje przestrzeń jako pustkę, przedmioty zaś w niej umieszczone jako byty stacjonarne (...) zakłada się, że skala użytkownika będzie mniejsza od skali otoczenia – sugerując zatem, że użytkownik ulega otoczeniu i od niego zależy". Gest o strukturze ciągłej, analogowej, posiada własną skalę, która – wbrew sugestii Andersa – może być większa niż skala instalacji, jednak zawsze będzie mierzona w kontekście relacji między rozmiarami ciała i całej instalacji. Ten gest poprzez mediację może zostać powiększony i wzmocniony, sięgając dowolnych rozmiarów.

Zasadniczą rolę w realizacji *Electronic Garden/NatuRealization* odgrywa skala. Umieszczona w miejscu publicznym instalacja składała się z metalowej konstrukcji, przekraczającej wielkością wymiary człowieka (była dwa i pół raza wyższa niż średniego wzrostu człowiek). W *Divided We Stand/Divided We Speak* wzmocnienie gestu w przestrzeni trójwymiarowej występuje w postaci wypowiadanych słów, szeptów, cicho i głośniej zaśpiewanych melodii. W *Nature Is Leaving Us* publiczność skonfrontowano z jednoczesnymi projekcjami wielokanałowego wideo, projekcjami slajdów, światłami laserowymi, performance'em, wykonywaną muzyką i wielokanałowym dźwiękiem w systemie *sound surround*. Ludzie mogą wybierać swój własny punkt widzenia, tak że ilekroć oglądają dzieło, ich doznania za każdym razem są inne. Co ciekawe, osoby, które widziały pracę kilkakrotnie, były przekonane, że autor ją zmienia! Rozmiar i podział przestrzeni *Lovers Leap* pozwalał na dostosowanie i zsynchronizowanie każdego ruchu (w)użytkownika do prędkości aparatury elektronicznej, tak by zmianie jego położenia odpowiadała zmiana na ekranie.

may, despite Anders' suggestion, be larger than the scale of an installation, but is always measurable in the relationship between the body's scale and that of the installation. This gesture can be amplified, through mediation, to any dimension.

Scale played a dominant role in *Electronic Garden/ NatuRealization*. Located in a public site, it involved a metal construction of a larger-than-life frame (two-and-a-half times the normal body size). In *Divided We Stand/ Divided We Speak*, amplification of the gesture in 3-D space occurs as an amplification of spoken words, whisperings, loud and soft sung phrases. In *Nature Is Leaving Us*, the audience was confronted with a larger-than-life panoramic display of simultaneous media, multi-channel video, slide projection, neon lights, live performance, live music, multi-channel surround sound. People would have to choose their viewpoint, so that each time they saw the work, their experience changed. Interestingly, the responses to repeated viewing were reports that the author had modified and changed the work! The scale of the grid on which people stood to experience *Lovers Leap* was such that an average walking speed was synchronized and replicated by the speed with which the laser disk was able to move from frame to frame.

Boundaries

Boundaries are implicit in the physical limitations of reach and span, of manual, mental and bodily gesture. Boundaries serve to mark, fix, limit and display the subject. These can be identified as either the personal, common and shared space of the local, or the virtual, penetrable, porous space of interface and virtual space.

Dynamic Mapping

Dynamic Mapping is a new technique in which actions modify the system, by introducing new subsystems (with new rules or maps of input to output) requiring more interactions and/or more repetitions to learn the system. For example, a gesture made several times may be rhythmic, but will not necessarily produce repetitious results.

These elements of interactive experience are identified by the author for the purpose of establishing a basic grammar of spatial experience in interactive artworks. This is necessary to emphasize the triadic relationship of the (v)user, the interactive artwork, and the artist in establishing a conceptual context involving strategies for interactive public art.

The experience of the world as heraclitean flux means that repeating a gesture does not guarantee that the world will respond the same way each time. Therefore *dynamic mapping* technology implies that the properties of the 3-D interactive space alter over time and in reaction to the (v)user's activity. *Dynamic Mapping* lessens the scripted constraint on interactivity, increases randomness, reconfigures the space-time relationship, demands a rethinking of the common ground (because the nature of the ground is malleable), questions body-to-body boundaries and through the introduction of noise raises the

Granice

Granice są implikowane przez fizyczne ograniczenia zasięgu i zakresu, gestu ręki, umysłu i ciała. Granice służą oznaczeniu, określeniu, ograniczeniu i wyeksponowaniu przedmiotu. Granice mogą oddzielać to, co określilibyśmy jako przestrzeń lokalną, osobistą, jednolitą, zwartą, wspólną oraz przestrzeń wirtualną, podatną na przenikanie, porowatą przestrzeń interfejsu.

Mapowanie dynamiczne

Mapowanie dynamiczne to nowa technika, w której podejmowane działania modyfikują system, wprowadzając do niego nowe podsystemy (kierujące się nowymi zasadami łączenia, w ramach mapy, elementów na wejściu i na wyjściu), co sprawia, że poznanie całości wymaga większej liczby interakcji oraz/lub powtórzeń. Na przykład, gest powtórzony kilkakrotnie może być rytmiczny, ale niekoniecznie spowoduje repetytywne skutki.

Te elementy interaktywności są identyfikowane przez autora w celu stworzenia podstawowej struktury doznawania przestrzennego w pracach interaktywnych. Trzeba tu podkreślić znaczenie triady łączącej (w)użytkownika, interaktywne dzieło sztuki oraz artystę w pojęciowym kontekście strategii wypracowanych dla potrzeb interaktywnej sztuki publicznej.

Doświadczanie świata jako heraklitejskiego przepływu oznacza, że powtórzenie gestu nie gwarantuje takiej samej nań reakcji. Dlatego też technologia *mapowania dynamicznego* bierze pod uwagę fakt, że właściwości trójwymiarowej przestrzeni interaktywnej zmieniają się w czasie w odpowiedzi na działania (w)użytkownika. *Mapowanie dynamiczne* osłabia ograniczenia, jakie nakłada na interaktywność konieczność trzymania się jednego, określonego skryptu, wzmaga przypadkowość, rekonfiguruje relacje czasoprzestrzenne, wymaga ponownego przemyślenia „wspólnego gruntu" (jako że „grunt" ów jest z natury plastyczny), kwestionuje granice między ciałami, podnosi wyzwania semantyczne stawiane przez dzieło poprzez wprowadzenie szumu. Wszystko to jednak nie jest wolne od ryzyka, które wiąże się zarówno z coraz bardziej stromą krzywą uczenia się, jak i z narastaniem przypadkowości aż do momentu, w którym stanie się ona szumem. Zatem artysta projektujący interaktywną pracę modulowaną przy pomocy mapowania dynamicznego musi być świadom skali związanej z procesem modulacji – nie może być ona zbyt prosta, ponieważ wówczas zabrakłoby modulacji między różnymi zdarzeniami wywoływanymi w tej samej przestrzeni przez ten sam gest, nie może również być zbyt złożona, ponieważ wówczas zatracilibyśmy możliwość jakiegokolwiek przewidywania zdarzeń, które dany gest mógłby spowodować.

POZIOMY INTERAKCJI WE WSPÓLNEJ PRZESTRZENI FIZYCZNEJ

Interakcja zachodzi na różnych szczeblach, poczynając od biernego obcowania z namalowanym obrazem, a kończąc na pracach opartych na intensywnej interakcji z widzem. Interakcja jest uzależniona od czynników takich jak złożoność, wybór mediów, wspól-

semantic stakes in the artwork. All this is at the risk, however, of both an increasingly steep learning curve and an increase in randomness to the point at which it becomes noise. Therefore, in designing *an interactive artwork structured by the dynamic mapping concept*, the artist has to be aware of the scale of modulation involved – neither so simple that there is no modulation between different events triggered by the same gesture in the same space, nor so complex that there can be no prediction whatsoever as to what event will be triggered.

LEVELS OF INTERACTION IN SHARED PHYSICAL SPACE

Interaction occurs on various levels, ranging from passive interaction with painting to a high level with interactive artwork, and involves increasing complexity, choices of media, shared values, transformation, predictability, behavior, learning, engagement, participation, and control. The relationships between the physical interactivity of the (v)users and the artworks create new and important characteristics. Interactivity implies a loss of the artist's control over the artwork, while the artwork itself is never finally stabilized or complete, and therefore outside the normal commodity from and archival value system of the art world.

Social Interaction

It is important to have a basic awareness of the process of interaction in a behavioral context. We begin with the concept of action as simple movement. Weberian sociology isolates three forms of action: instrumental, designed to achieve a goal; affectual, undertaken in response to emotions; and traditional, dictated by custom. The interactive artist, more interested in social than individual motivation, rereads these categories in the interplay of the overt movements, covert deliberations, and basic physiology of individuals and their influence on others.

Interactive art experience also adds the importance of self, of feeling involved and of feeling right about things. We interact in complex human environments as well as the physical structures of the artwork. Observable behaviors in interactive situations then become central to interactive artworks, since interaction itself is based on the observation of others' real and implied actions, motivations and habitual or improvised gestures.

Interactive Behavior and (V)users

Interaction is not a purely technological achievement: its ethnology may be seen to have evolved in parallel with a demand among artists and audiences for an increasingly (v)user-centered concept of art. The Fluxus movement in the 1960s sustained the participation of the public as co-creator of the work of art. With their nonhierarchical approach to creativity, use of humor, and insistence on the merging of art and life, this fluid group of artists produced text pieces that provided instructions for actions that could be performed by anyone either pri-

ne wartości, transformacja, przewidywalność, zachowanie, uczenie się, zaangażowanie, udział i sterowanie. Relacje między fizyczną interaktywnością licznych (w)użytkowników a dziełem sztuki wnoszą tu szereg nowych, ważnych cech. Interaktywność oznacza, że artysta traci kontrolę nad swoim dziełem, które z kolei nigdy nie osiąga pełnej stabilizacji i nigdy nie jest kompletne, a zatem lokuje się poza normalną, uprzedmiotowioną formą oraz nie posiada wartości komercyjnej ani archiwalnej w świecie sztuki.

Interakcja społeczna

Rzeczą ważną jest podstawowa świadomość procesu interakcji w kontekście behawioralnym. Zaczynamy od koncepcji działania jako prostego ruchu. Nurt socjologii zapoczątkowany przez Webera wskazywał na trzy rodzaje działań: instrumentalne, mające przynieść określony cel, afektywne, którymi reagujemy na odczuwane emocje, a także tradycyjne, które narzuca nam obyczaj. Artysta interaktywny, bardziej zainteresowany motywacją społeczną niż indywidualną, postrzega te kategorie we współbrzmieniu widocznych, otwartych działań, ukrytych rozważań oraz podstawowej fizjologii jednostki i wpływu, jaki wywiera na innych.

Doświadczenie sztuki interaktywnej kładzie dodatkowo nacisk na znaczenie własnego „ja", na poczucie zaangażowania i pozytywne odczucia względem różnych rzeczy. Wchodzimy w interakcje w ramach złożonego otoczenia ludzkiego oraz w ramach fizycznej struktury dzieła sztuki. W sytuacji interaktywnej kluczowego znaczenia nabierają te zachowania, które dają się zauważyć z zewnątrz, ponieważ sama interakcja opiera się na obserwowaniu rzeczywistych i domniemanych działań innych osób oraz ich gestów, tak rutynowych, jak improwizowanych.

Zachowanie interaktywne a (w)użytkownicy

Interakcja nie jest osiągnięciem czysto technicznym: jej etnologiczny rozwój można postrzegać jako proces towarzyszący wyrażanej przez artystów i widzów potrzebie koncepcji sztuki silniej skoncentrowanej na (w)użytkowniku. Ruch Fluxus na początku lat sześćdziesiątych podtrzymywał udział widzów we współtworzeniu dzieła sztuki. Posługując się niezhierarchizowanym podejściem do kreatywności, humorem i uporczywym stapianiem sztuki i życia w jedno, ta „płynna" grupa artystów tworzyła teksty zawierające wskazówki dotyczące działań możliwych do wykonania przez każdego, czy to na forum publicznym, czy też w zaciszu domu; w niektórych performance'ach przewidziano udział publiczności (Cruz, 1997).

Nickas (którego słowa przytacza Cruz) zauważa występowanie fazy przejściowej „od tradycyjnych relacji między artystą a jego publicznością, występujących w świecie sztuki oraz rozrywki, [które] są architektonicznie i psychologicznie definiowane przez istnienie sceny" do wydarzeń organizowanych na wolnym powietrzu w połowie i pod koniec lat sześćdziesiątych: „Z dala od tych tradycyjnych zgromadzeń, grupy takie, jak MC5, Velvet Underground i the Stooges z Iggy Popem na czele, spotykały się bezpośrednio ze swoją publicznością i włączały ją w przebieg koncertu. Ko-

vately or in public and, in some performances, included audience participation (Amanda Cruz).

Nickas notes a transitional phase from "the traditional relationship between performer and audience, whether in the worlds of art or entertainment, (that) is architecturally and psychologically defined by the stage" to outdoor events in the mid -to- late 1960s: "Far from these verdant gatherings, groups such as the MC5, the Velvet Underground, and the Stooges, led by Iggy Pop, were directly confronting and engaging their audiences. In using the stage as a theatricalized and politicized site, these groups gave the audience a heightened awareness of itself. If the audience, as assembled, could be seen to represent the society, was it enough to merely entertain them? Did the division between the audience and the stage reflect the division between those who led and those who merely followed? And did a passive audience represent a passive society?" (Cruz, p. 19)

The 1960s saw the advent of other pioneering interactive forms. As early as 1966, Roy Ascott described "behaviorist", participative aspects in art from Futurism and Constructivism via kinetic art to Environments, reactive art and Happenings, though without referring to interactive art.

In the mid-1970s, viewers were becoming both performers and actively engaged. Dan Graham, in his seminal work, *Public Space/Two Audiences* (1976), which was exhibited at the Venice Biennial, employed a wall of mirrors at one end and a glass partition in the center in order for the spectators to be placed on view by each other and themselves. The psychological effect on viewers underscored the self-

26. Nature Is Leaving Us, 1989

consciousness induced by participating in the piece.

Virtual Reality pioneer Myron Krueger, in 1983, described the milieu of the "responsive environment" as a system whose reactions/programming range from simple forms of direct feedback via playful, dialogical involvement of the visitors to the establishment of the visitors as protagonists. In the 1990s, dual audiences paired live installation with cyberspace on the Internet.

Since the first experiments in these conjunctions of installation and information technology, such as Paik's *Good Morning Mr. Orwell* and the early experiments of Roy Ascott, it has become apparent that the relationship between artist and audience can also be understood as symbiotic.

Audience Engagement and Participation

My interactive artwork has increasingly involved interaction as a primary way of perceiving a process of "conducting" in artwork. The interactive large-scale projects involve large groups interacting with the artwork's content. The employment of dynamic interfaces is a crucial strategy for the reception, experience and interpretation of the content.

The act of conducting implies behavior, actions, responses, performance and location. To implement this interactive and participatory process requires acts of guidance, control, direction, management, and leadership; and operating, maintaining, conveying and executing the work. Strategies vary when one considers the audience response as a single gesture, as compared to audience responses as multiple gestures. The complexity of artistic processes in the author's recently constructed artworks *Divided We Stand/ Divided We Speak/ Divided We Sing*, and *Which@World* involved employing construction of dynamically reconfigured content and experience which includes *dynamic mapping*.

The user of any interactive, multimedia material is its audience. The realism of interactivity arises from the involvement of the (v)users as witnesses who experience real time interactions among real characters – including themselves.

This concentration on the spectator points to the aspect of emotional engagement witnessed in two major influences on contemporary theater: "Brecht called for the capacity to emotionally dissociate yourself from what you were seeing, or being involved in, so that you could intellectually reflect upon it. Artaud called for an emotional impact that would all but make it impossible to do that. One side

rzystając ze sceny jako miejsca silnie nacechowanego teatralnie i politycznie, grupy te dawały publiczności większą samoświadomość. Jeśli uznać, że obecna na koncercie publiczność reprezentuje społeczeństwo, to czyż wystarczy ograniczyć się tylko do dostarczenia jej rozrywki? Czy podział na publiczność i scenę odzwierciedla może podział między tymi, którzy idą naprzód, a tymi, którzy ograniczają się do wędrowania ich śladem? No i czy bierna publiczność reprezentuje bierne społeczeństwo?"

Lata sześćdziesiąte to okres, w którym pojawiły się również inne pionierskie formy interaktywne. Już w 1966 roku Roy Ascott opisał „behawiorystyczne" aspekty sztuki, związane z aktywnym w niej współudziałem, w pracach futurystów i konstruktywistów, w sztuce kinetycznej, *environment art*, sztuce reaktywnej oraz happeningu, chociaż ani razu nie wspomniał o sztuce interaktywnej.

W połowie lat siedemdziesiątych publiczność zaczęła aktywnie angażować się w funkcjonowanie dzieła sztuki i współuczestniczyć w powstawaniu performance'ów. Dan Graham w swym przełomowym dziele *Public Space/Two Audiences* (1976), pokazanym na Biennale w Wenecji, po jednej stronie pomieszczenia zbudował lustrzaną ścianę, natomiast całą przestrzeń przedzielił pośrodku szklaną taflą, tak by zwiedzający mogli oglądać siebie nawzajem i własne odbicia w lustrze. Efekt psychologiczny polegał na wzmocnieniu poczucia świadomości własnej osoby, wywołanego uczestniczeniem w tej pracy.

W 1983 roku Myron Krueger, pionier rzeczywistości wirtualnej, opisał „responsywne otoczenie" jako system, którego reakcje/programy obejmują różne formy: od najprostszych, polegających na zwykłym sprzężeniu zwrotnym, poprzez dialog z elementami zabawy, aż po postawienie zwiedzającego w roli protagonisty. W latach dziewięćdziesiątych publiczność połączyła instalację „na żywo" z cyberprzestrzenią Internetu.

Od czasu pierwszych eksperymentów dotyczących połączenia instalacji z techniką komputerową, jak np. praca *Good Morning Mr. Orwell* Paika oraz wczesnych eksperymentów Roya Ascotta, stało się jasne, że relację między artystą a publicznością można również postrzegać w kategoriach symbiozy.

Zaangażowanie i współudział publiczności

W moich interaktywnych pracach coraz więcej korzystam z interakcji jako podstawowej metody, by w dziele sztuki dostrzec proces „dyrygowania" czy też „prowadzenia". Projekty interaktywne zakrojone na dużą skalę oznaczają, że duże grupy widzów wchodzą w interakcję z treścią dzieła sztuki. Zastosowanie dynamicznych interfejsów to strategia przesądzająca o odbiorze, doświadczeniu i interpretacji treści.

Akt dyrygowania obejmuje zachowanie, reakcje, performance i miejsce. Przeprowadzenie tego interaktywnego procesu z udziałem publiczności wymaga kierowania, sterowania, zarządzania, przewodzenia, wykonywania, prowadzenia, podtrzymywania, przedstawiania oraz realizacji dzieła. Strategie będą różne, w zależności od tego, czy reakcją publiczności ma być pojedynczy gest, czy też wiele różnych gestów. Złożoność procesu artystycznego w niedawno powstałych pracach Autora *Divided We Stand / Divi-*

is Brecht with his thoughts; on the other, Artaud with his feelings." (Dewey, 1980)

Interactive artworks engage people at both intellectual (instrumental-motivational) and emotional (affectual-interactional) levels, and do so by challenging the traditional-structuring principles of interaction.

Single-(V)user and Multi-(V)users

Individual experience will remain important to interactive arts. But there is a difference between a single (v)user interacting in public space and multi-(v)users interacting with the artwork and among themselves. Experience has shown that people tend to limit their behavior in an interactive environment to what is perceived as socially acceptable.

A single (v)user is either oblivious to the social context, causing the experience to become solipsistic, or is aware that he is both part of the group and set apart by the nature of his special relationship to the space, creating a performance dynamic. Multi-(v)users may be self-engrossed, but have the opportunity to create a consensual social exchange mediated by the space.

The experiences of single (v)users interacting with an artwork in a public space are dissimilar to those of multi-(v)users interacting with the artwork and among themselves. When this experience is applied to large audiences, there is a built-in learning curve for understanding, appreciation, awareness, and interpretation of the artwork.

27-28. Divided We Speak Website, Museum of Contemporary Art, Chicago, Illinois, 1997

ded We Speak / Divided We Sing oraz *Which@World* obejmowała treść ulegającą dynamicznej rekonfiguracji oraz doświadczenie, w tym *mapowanie dynamiczne*.

Użytkownik każdego interaktywnego materiału multimedialnego jest zarazem jego publicznością. Realistyczny rys interaktywności wynika z tego, że (w)użytkownik pełni rolę świadka, doświadczającego w czasie rzeczywistym interakcji między rzeczywistymi postaciami, do których grona sam należy.

Ta koncentracja na widzu wskazuje na aspekt zaangażowania emocjonalnego, który obserwujemy w dwóch głównych trendach, które wywarły najsilniejszy wpływ na współczesny teatr: „Brecht wzywał do emocjonalnego oderwania się od rzeczy, które widzimy lub w które jesteśmy zaangażowani, aby umożliwić intelektualną refleksję na ich temat. Artaud szukał oddziaływania emocjonalnego, które taką właśnie reakcję w pełni uniemożliwia. Z jednej strony Brecht i jego myśli; z drugiej Artaud i jego uczucia". (Dewey, 1934)

Pojedynczy (w)użytkownik i liczni (w)użytkownicy

Doświadczenie wskazuje, że w otoczeniu interaktywnym ludzie są skłonni ograniczać swoje zachowania do takich, które są postrzegane jako społecznie akceptowane. Indywidualne przeżycie pozostanie dla sztuk interaktywnych sprawą ważną. Istnieje jednak różnica między pojedynczym (w)użytkownikiem, który wchodzi w interakcje w przestrzeni publicznej, a wieloma (w)użytkownikami, którzy wchodzą w interakcje z dziełem sztuki oraz ze sobą nawzajem.

Samotny (w)użytkownik może całkiem zapomnieć o kontekście społecznym, przez co całe doświadczenie będzie miało charakter solipsystyczny, albo zachowywać świadomość przynależności do grupy, z której został wydzielony ze względu na szczególną relację z przestrzenią, co nadaje performance'owi dynamikę. Jeśli chodzi o licznych jednoczesnych (w)użytkowników, oni również mogą być zapatrzeni w samych siebie, ale mają przynajmniej szansę i okazję tworzenia społecznej wymiany mediowanej przestrzennie i opartej na konsensusie.

Doświadczenia pojedynczego (w)użytkownika wchodzącego w interakcje z dziełem sztuki umieszczonym w przestrzeni publicznej znacząco różnią się od doświadczeń licznych jednoczesnych (w)użytkowników wdających się w interakcje z dziełem sztuki i ze sobą nawzajem. Gdy takie doświadczenie dotyczy dużych grup, daje to krzywą uczenia się, dotyczącą rozumienia, doceniania, świadomości oraz interpretacji dzieła sztuki.

Nakreśliliśmy relacje w ramach triady, na którą składają się jednostka, grupa oraz dzieło sztuki. Jest rzeczą ważną, by odróżnić od nich typowe wzorce interakcji grupowych niezwiązanych ze sztuką, występujące w ustabilizowanych społecznościach (grupy kibiców, przyjaciele, którzy spotkali się przy grillu); grup anonimowych, takich jak tłumy nieznajomych spacerujących po centrum handlowym; społeczności tworzonych sztucznie, np. uczestników wycieczki autokarowej. Twierdzę, że grupowe interakcje związane ze sztuką są rzeczą nową, ponieważ umożliwiają nowe

rodzaje zachowań, gestów itp.; tworzą warunki umożliwiające wspólny udział w procesie twórczym; wprowadzają do przestrzeni publicznej pierwiastek kreatywności i zastępują zachowania nawykowe oraz indywidualistyczne postawy nowymi, kreatywnymi zachowaniami o charakterze wspólnotowym.

MANIFEST

Uważam, że artysta współczesny jest dziś zaangażowany w tworzenie nowej definicji swojej roli. Estetyka z biernej zmienia się w czynną. Znajduje to odzwierciedlenie w kolaboratywnym aspekcie mojej pracy, która nie mogłaby istnieć bez współudziału słuchaczy i widzów. Moje prace to eksploracja problemów związanych z wolnością i ograniczeniami, przesuwaniem granic oddzielających przestrzeń publiczną od prywatnej, budowaniem wspólnoty poprzez technologie tworzące przestrzeń wirtualną oraz z jednoczącymi właściwościami różnorodności. W pozbawionej granic artystycznej przestrzeni relacji w centrum uwagi znajdują się zagadnienia dotyczące poetyki, interakcji indywidualnej i grupowej, technologii interwencji, struktur otwartych, dużej skali, zanurzenia [w wirtualnej przestrzeni] i udziału.

W zmieniającym się świecie zmieniają się pojęcia wolności i demokracji. Musimy uwzględniać nie tylko zachowanie człowieka, ale również zachowanie sztucznej inteligencji. Moje prace zachowują się różnie; czasami nagannie. To z kolei prowokuje mnie oraz innych do podejmowania odmiennych, nowych zachowań.

Siła i władza zależą od pozycji, w jakiej umieścimy własną osobę w otoczeniu. W miarę jak pogłębia się świadomość sprawowanej kontroli, wzrasta też posiadana władza. Każdy (w)użytkownik stworzy nową, odmienną pracę, w zależności od swego zaangażowania, zrozumienia i sposobu przekształcania własnej mocy. Wielu wyjdzie, nigdy nawet nie sięgnąwszy po swoją władzę.

Kolaboratywne zaangażowanie w interaktywną sztukę publiczną wymaga nowych rodzajów miejsc i nowych technologii. Wymaga również zwrócenia uwagi na kwestie treści, interfejsu, lokalizacji i zaangażowania społeczności. Interakcja odbywająca się w takich nowych kontekstach jest źródłem nowych relacji przestrzennych i czasowych, prezentując przedmiot artystycznego wyboru polegającego na akceptacji lub modyfikacji ograniczeń behawioralnych.

Moja praktyka artystyczna kładzie nacisk na różnice między pojedynczym (w)użytkownikiem a wieloma (w)użytkownikami wchodzącymi w interakcje z dziełem sztuki w przestrzeni publicznej oraz ze sobą wzajemnie. Interakcja fizyczna wewnątrz przestrzeni fizycznej i między takimi przestrzeniami wymaga ponownego zwrócenia uwagi na kwestie autorstwa. Aby taka praktyka była interesująca w kontekście społecznym, dzieło sztuki musi zawierać dynamiczną matrycę wartości, wyrażeń oraz treści artystycznych, do których dostęp umożliwia odpowiednio zaprojektowany interfejs i struktura interaktywna; potrzebne są też wspólne doświadczenia oraz krzywe uczenia się, symbioza przestrzeni fizycznej i wirtualnej, jak również wielowymiarowe relacje między otoczeniem kognityw-

We have traced the triadic relationship among the individual, the group, and the artwork. It is important to distinguish typical group interaction without art in established communities (sports fans, friends at a barbecue); anonymous groups, such as strangers in mall crowds; and artificially generated communities, such as a tour bus. I am arguing that group-dynamic interactions with art are new because they enable new types of behavior, gestures, etc.; create conditions for communal participation in creation; instilling creativity in public spaces; and replace habitual behaviors and individualistic attitudes with new, creative, and communal behaviors.

MANIFESTO

I believe that the contemporary artist is currently engaged in re-defining his or her role. Aesthetics is shifting from passive to active. This is reflected in the collaborative aspect of my work which does not exist without participation by viewers and listeners.. My work explores problems of freedom and limitation, shifting boundaries of public and personal space, community building through virtual space technologies, and the unifying qualities of diversity. In a boundary-less artistic space of relationships, the issues of poetics, individual and group interaction, intervention technologies, open structures, large scale, immersiveness, and participation are of central concern.

The concepts of freedom and democracy change in a changing world. We need to take into account not only human behavior but also the behavior of artificial intelligence. My work behaves and misbehaves. It provokes me and others to behave in new ways.

Power and strength depend on where we position ourselves within our environment. As the viewer's awareness of control grows, so does viewer power. Each viewer will create a new and different work depending on his or her involvement, understanding, and transformation of power. Many will leave without claiming their power.

Collaborative engagement in interactive public art requires new kinds of venues and technologies and also requires attention to issues of content, interface, location, and community involvement. Interaction in such new contexts generates new spatial and temporal relationships, presenting artistic choices between accepting and altering behavioral constraints.

My artistic practice emphasizes the differences between single and multi-(v)users interacting with the artwork in public space, and interaction among the (v)users. Physical interaction within and between physical spaces demands new attention to artistic authorship. For this practice to be socially engaging, the artwork has to contain a dynamic matrix of values, expressions, and artistic content achieved through interface and interaction design, shared experience and learning curves, symbiosis of physical and virtual space, and multi-dimensional relationships among cognitive and physical environments. My art questions the spatial and temporal limita-

nym i fizycznym. Moja sztuka kwestionuje ograniczenia przestrzenne i czasowe, jak również parametry społeczne interaktywnych doświadczeń. Rozwija propozycje dotyczące nowej roli artysty w nowym społeczeństwie, wkraczającym w dwudziesty pierwszy wiek.

Zaadaptowane z Rogala, Mirosław. 2000. *Strategies for Interactive Public Art: Dynamic Mapping with (V)User Behaviour and Multi-Linked Experience*. Rozprawa doktorska, University of Wales College, Newport, Walia, Wielka Brytania.

BIBLIOGRAFIA
Anders, P. 1999. *Envisioning Cyberspace*. New York: McGraw-Hill Publishing.
Cruz, A. (red.). 1997. *Performance Anxiety. Exhibition Catalogue*. Chicago: Museum of Contemporary Art.
Csikszentmihalyi, M. 1990. *Flow: The Psychology of Optimal Experience*. New York: Harper Perennial [tłum.polskie Magdaleny Wajdy, *Przepływ. Psychologia optymalnego doświadczenia*. 1996. Warszawa: Wydawnictwo Studio EMKA].
Dewey, J. 1934. *Art as Experience*. New York: Perigree Books [tłum. polskie Andrzeja Potockiego Sztuka jako doświadczenie. 1975. Wrocław: Ossolineum].
McNeill, D. 1992. *Hand and Mind: What Gestures Reveal about Thought*. Chicago and London: The University of Chicago Press.
Schnebly-Black, J. and Moore, S. 1997. *The Rhythm Inside: Connecting Body, Mind, and Spirit Through Music*. Portland, Oregon: Rudra Press.

tions and social parameters of interactive experience, and it develops propositions concerning the new role of the artist in the new society emerging into the 21st century.

Adapted from Rogala, Miroslaw. 2000. *Strategies for Interactive Public Art: Dynamic Mapping with (V)User Behaviour and Multi-Linked Experience*. PhD Disertation, University of Wales College, Newport, Walia, Great Britain.

BIBLIOGRAPHY
Anders, P. 1999. *Envisioning Cyberspace*. New York: McGraw-Hill Publishing.
Cruz, A. (ed.). 1997. *Performance Anxiety. Exhibition Catalogue*. Chicago: Museum of Contemporary Art.
Csikszentmihalyi, M. 1990. *Flow: The Psychology of Optimal Experience*. New York: Harper Perennial.
Dewey, J. 1980, 1934. *Art as Experience*. New York: Perigree Books.
McNeill, D. 1992. *Hand and Mind: What Gestures Reveal about Thought*. Chicago and London: The University of Chicago Press.
Schnebly-Black, J. and Moore, S. 1997. *The Rhythm Inside: Connecting Body, Mind, and Spirit Through Music*. Portland, Oregon: Rudra Press.

29. Projection Double (detail), 1984

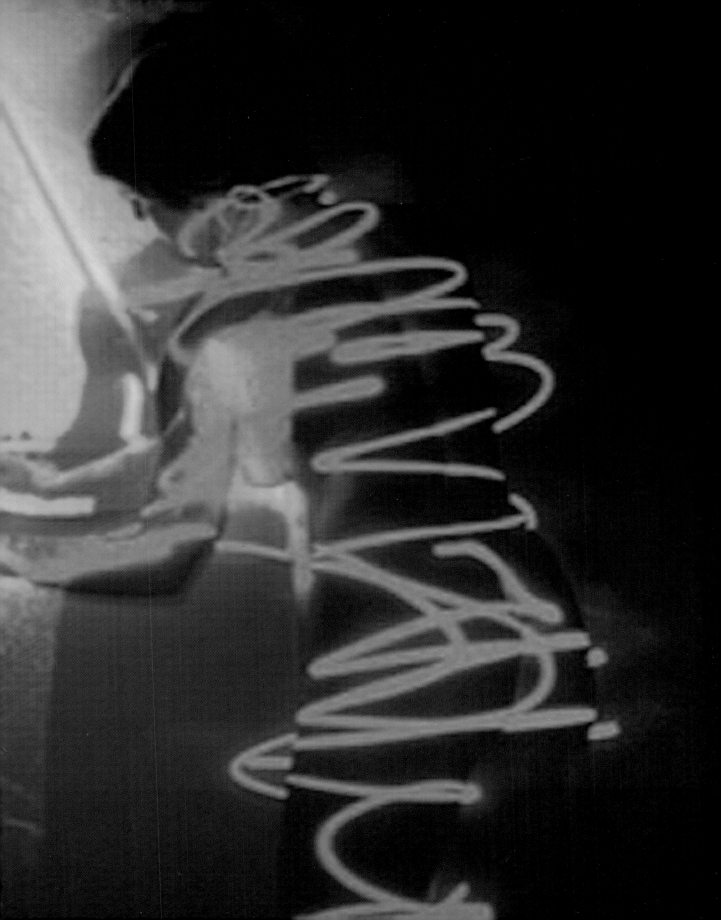

30. Green Studio 1, 1983

31. Laser Projection, 1985

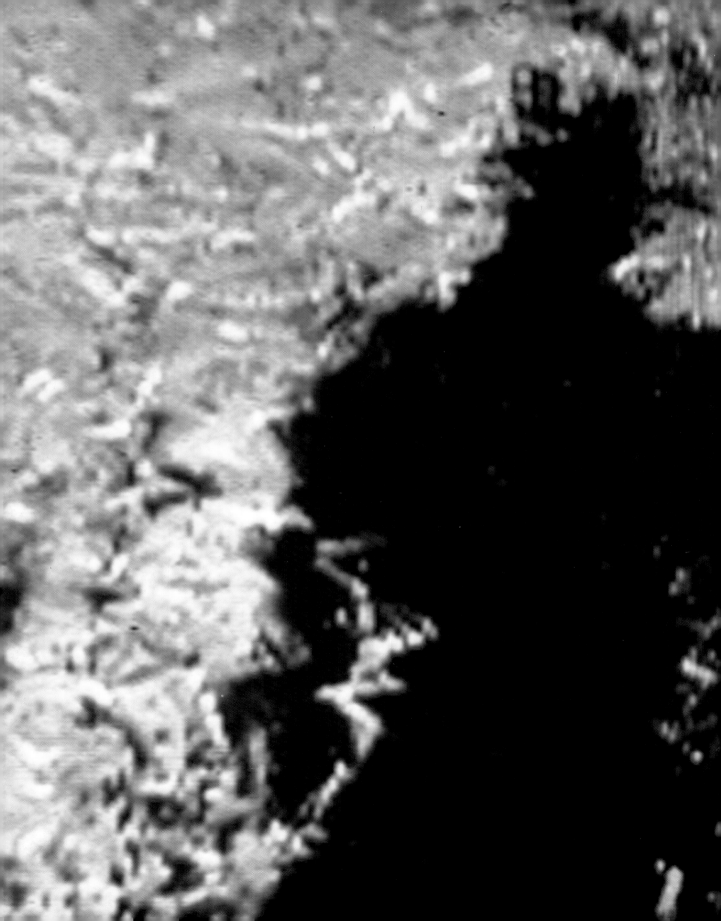

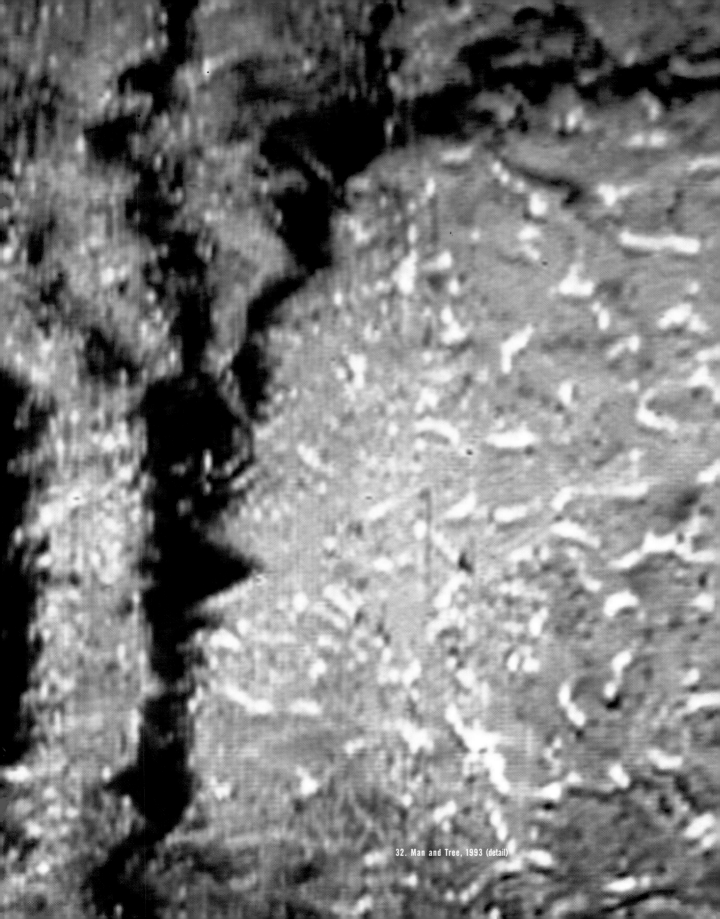

32. Man and Tree, 1993 (detail)

33. Laser Projection, 1991

Ryszard W. Kluszczyński

DYNAMICZNE PRZESTRZENIE DOŚWIADCZEŃ. O TWÓRCZOŚCI MIROSŁAWA ROGALI

Sztuka i (multi)media

Sztuka jest zawsze, do pewnego stopnia, wytworem swego otoczenia. Jest odpowiedzią na wyzwania, które nadchodzą ze strony środowiska kulturowo-społecznego i technologicznego. Stan zaawansowania cywilizacyjnego środowiska posiada wielki wpływ na świadomość społeczną, także tę, która leży u podstaw praktyk artystycznych, albowiem jesteśmy nieustannie i dogłębnie przekształcani przez nasze własne wynalazki (por. de Kerckhove, 1996). Wyrastające z rozwoju technologicznego procesy transformacyjne tworzą obecnie zupełnie nowe, poszerzone otoczenie ludzkie, w którym biosfera łączy się w jedną całość z technosferą. W obrębie tej ostatniej jesteśmy świadkami ogromnego i błyskawicznego rozwoju cyfrowych technologii informacyjno-komunikacyjnych. Wespół z innymi, niezliczonymi zjawiskami, które są wytworem praktyk należących do kształtującej się dynamicznie bio-technosfery, technologie te tworzą złożony kompleks – fundament, z którego wyrasta cyberkultura. W jej kontekście szczególna, krytyczna funkcja przypada sztuce (multi)medialnej. Ona właśnie w stopniu największym może posłużyć jako laboratorium eksperymentalne, nie tylko dla nowych technologii, lecz, przede wszystkim, dla studiów nad nowymi relacjami społecznymi tworzonymi bądź wywoływanymi przez te technologie (por. Wark, 1995).

Wspomniany rozwój technologii medialnych i multimedialnych, obok niewątpliwych korzyści społecznych przynosi liczne i różnorodne wątpliwości, problemy, a nawet poczucie zagrożenia. Sztuka (szczególnie ta o aspiracjach krytycznych) podejmuje wysiłek zbadania i zrozumienia nowego świata, wyłaniającego się w rezultacie rozwoju technologicznego, fenomenu, który w swej całej złożoności bywa obecnie określany mianem syndromu post-biologicznego (zob. Ascott, 1997).

Oznacza to zarazem, iż artyści nie tylko posługują się technologią, ale również czynią ją przedmiotem analizy. W takim układzie można przyjąć, że nowa sztuka (multi)medialna, a przynajmniej jej najwartościowsza część, jest kontynuacją formacji awangardowej, której cechą charakterystyczną było zawsze splatanie w jedną całość dyskursów artystycznych i metaartystycznych (Kluszczyński, 1997). A ponieważ technologie (multi)medialne są przede wszystkim narzędziami komunikowania, to refleksja dotycząca artystycznych multimediów w naturalny sposób przekształca się (przedłuża) w refleksję nad procesami komunikowania społecznego oraz nad nowymi społecznościami powstającymi w wyniku tych procesów. Wyrażając swoje wątpliwości i niepokoje, artyści podejmują kwestię wpływu technologii (multi)medialnych na komunikację społeczną, na system społecznych ról i tożsamości. Pytają również o konsekwen-

DYNAMIC SPACES OF EXPERIENCE. ON THE ART OF MIROSŁAW ROGALA

Art and (Multi)media

Art is always to some extent a product of the environment; it is a response to the challenges on the part of its cultural and social, as well as its technological *milieu*. The state of a civilization's development of the environment has a great impact on the social awareness, and thus it shapes artistic practices, as we are permanently and thoroughly changed by our own inventions (de Kerckhove, 1995). Processes of transformation resulting from technological development nowadays, create a completely new and widened human environment, where biosphere is united into one with techno-sphere. In the scope of the latter we are now witnessing a gigantic and immediate development of digital information and communication technologies. Together with a number of other phenomena – results of dynamic changes in the bio-techno-sphere – they form a complex foundation, from which cyberculture springs. (Multi)media art plays here a prominent part. It can, more than anything else, serve as an experimental laboratory, not only for new technologies, but even more for studies on new social relationships created or provoked by these technologies (compare Wark, 1995).

Besides the obvious social benefits, the development of media and multimedia technologies brings along with it a variety of problems, skepticism, and even a sense of anxiety. Art – especially that with critical aspirations – aims to study and to grasp the nature of the new world appearing as a result of technological development, or the phenomenon, which due to its high complication, is sometimes referred to as a post-biological syndrome (Ascott, 1997). Therefore, artists not only use the technologies, but analyze them as well. From this perspective one can say that the new (multi)media art, or at least its most valuable part, is a continuation of the avant-garde. The characteristic trace of avant-garde has always been the dialectic mixture of artistic discourses and discourses on art itself (meta-discourses), (Kluszczyński, 1997). Since (multi)media technologies are usually communication tools, the reflection on artistic multimedia is naturally transformed and broadened to a reflection on the processes of social communication as well as on new communities resulting from these processes. Expressing their doubts and anxieties, the artists address such issues as the influence of (multi)media technologies on social communication, or on systems of social roles and identities. They also ponder the consequences of the virtual worlds. By surpassing the social fear of the technological world, their works address the issue of the Utopia of the Electronic Paradise.

Modern (multi)media art, both materialized in real spaces (as installations for instance), and the virtu-

cje rozwoju światów wirtualnych. Przezwyciężając społeczny lęk przed światem technologicznym, ich dzieła podejmują zarazem problem Utopii Raju Elektronicznego.

Współczesne sztuki (multi)medialne, zarówno te, które materializują się w realnej przestrzeni, na przykład w postaci instalacji, jak i te, które przybierają postać wirtualną, lokując się w cyberprzestrzeni Internetu, niezwykle często podnoszą problematykę władzy, kontroli, dominacji i podporządkowania. Nurt ten wyłonił się logicznie ze wspominanej wyżej refleksji dotyczącej charakteru mediów elektronicznych, z rozważań nad atrybutami technologii komunikacyjnych. Namysł nad właściwościami mediów, których immanentną i podstawową funkcją jest inicjowanie procesów komunikowania, musiał poprowadzić także ku analizie społecznych warunków oraz konsekwencji ich funkcjonowania. Analiza taka przyjmuje szerokie spektrum odniesienia, albowiem wspólna platforma technologiczna łączy tak różnorodne zjawiska, jak interaktywna sztuka (multi)medialna, komercyjna telewizja czy elektroniczne systemy nadzoru. Wiele realizacji artystycznych należących do wspomnianego nurtu zwraca przede wszystkim uwagę na fakt, iż technologie elektroniczne, wykorzystywane w sztuce jako nowe środki kreacji oraz postrzegane jako gwarancja wolności ekspresji i komunikowania, mogą także posłużyć jako bardzo skuteczne narzędzia nadzoru, represji i zniewolenia. Zainteresowanie naturą używanego w pracy medium albo, mówiąc inaczej, postawa metadyskursywna, charakterystyczna dla radykalnych nurtów artystycznych, uwrażliwia twórców na wszelkie aspekty tego dualistycznego (wyzwalająco-zniewalającego) charakteru mediów elektronicznych. Artyści, badając ów ambiwalentny status, zwracają w rezultacie naszą uwagę zarówno na obietnice, jak i na zagrożenia wnoszone do naszego świata przez media. Dostrzegają także i to, iż (multi)media stają się swoistym zwierciadłem, w którym odbija się świat, a wskutek tego rozmaite zjawiska i procesy zostają tą drogą przeniesione w sferę widzialności. Nie są to jakiekolwiek fenomeny, lecz te jedynie, które odwzorowują w swej istocie cechy mediów, bo to pokrewieństwo właśnie pozwala mediom uczynić je widzialnymi. I tak, na przykład, *voyeryzm* wraz z całym kompleksem towarzyszących mu zagadnień społecznych albo też problematyka asymetryczności relacji międzyludzkich dostaje się w pole aktywizacji (multi)medialnej. Dzieła takich artystów, jak Simon Biggs, Vera Frenkel, Lynn Hershman czy Antonio Muntadas, mogą posłużyć za bardzo interesujące przykłady zróżnicowanych, autoanalitycznych odniesień do (multi)mediów oraz ich złożonych związków ze sferą aksjologiczną i etyczną.

Pośród wielkiej różnorodności zagadnień, tematów i problemów rozwijanych przez artystów (multi)medialnych w ich realizacjach na szczególną uwagę zasługuje wielorako upostaciowiony i aktualizowany w licznych dziełach problem kontroli. Pośród najczęściej podejmowanych aspektów problematyki kontroli związanych z artystyczną stroną zagadnienia można wskazać takie, jak kontrola artysty nad procesem kreacyjnym i jego rezultatem – dziełem sztuki; kontrola

al, localized in the cyberspace of the Internet, with significant frequency gives rise to issues of power, control, domination and sub-ordination. This tendency has logically sprung up from the above mentioned reflection on the electronic media and the analysis of the nature of communication technology. The analysis of the qualities of the media whose basic function is to indicate the communication processes, has unavoidably led to a closer scrutiny of its social conditioning and their consequences. This is naturally an analysis of a wide spectrum of reference, since a technological platform is common to such versatile phenomena as interactive (multi)media art, commercial television, and electronic systems of surveillance. In this reference, a number of art works point to the fact that electronic technologies, while used in art as new means of creation and perceived as a warrant of freedom of expression and communication, may equally well serve as a very effective apparatus of surveillance, repression, and subordination.

The interest in the nature of the medium used in a piece, or in other words, the meta-discourse approach, which is characteristic for radical artistic movements, makes artists more sensitive to various aspects of this dualistic (that is, liberalizing and subordinating) nature of electronic media. Scrutinizing the ambivalent status of the media, artists draw our attention to both the promises and the threats imported to our lives by media. They also notice that the (multi)media become kinds of mirrors that reflect the world, and as a result, various phenomena and processes are transferred into the world of the visible. They aren't any phenomena except those, which by their nature, reflect the character of the media, as their relationship allows media to make them truly visible. For instance, voyeurism, together with a large complex of its accompanying social issues, or the problem of the asymmetry of human relationships, are touched by the (multi)media. Artists such as Simon Biggs, Vera Frenkel, Lynn Hershmann, or Antonio Muntadas and their works, may serve for interesting examples of various, self-analytical references to (multi)media and their complex relationship to axiology and ethics.

Among the great number of issues, themes and problems addressed by (multi)media artists in their works is the problem of control, which is materialized in a multiple of works. The following quote concerns one of the most frequently raised aspects of control linked to art: the artist's control of the creation process and its result – the art work; the control of the viewer of his/her perception and over the artistic phenomenon being perceived; the control of the work of art itself over the receiver/participant/interactor of the communication process; the control of the artistic system and its institutions (museums, gallery, art market, etc.) over artist and his/her creation. As it was stated earlier, the issues of all the forms of control in the scope of human communities, the relationship between power and citizens, are natural continuation of the inner-artistic problems. Such artistic practice is a response to our crucial needs – every-

odbiorcy nad własną percepcją oraz nad fenomenem artystycznym, będącym przedmiotem doświadczenia; kontrola sprawowana przez samo dzieło nad odbiorcą/uczestnikiem/interaktorem procesu komunikowania artystycznego; kontrola systemu artystycznego i jego instytucji (muzea, galerie, krytyka artystyczna, rynek sztuki, etc.) nad artystą i jego wytworem. Naturalnym przedłużeniem tych problemów „wewnątrzartystycznych" są - zgodnie z wcześniejszymi stwierdzeniami - zagadnienia dotyczące wszelkich form kontroli sprawowanej w obrębie społeczności ludzkich, relacji między instytucjami władzy a obywatelami etc. Tak realizowana praktyka artystyczna wychodzi na spotkanie naszym istotnym potrzebom. Chcemy bowiem, dla własnego dobra, wiedzieć, jakie ośrodki władzy używają (mogą użyć), i w jaki sposób, technologii medialnych w celu zrealizowania swoich potrzeb, które nie zawsze są także naszymi (por. Wark, 1995). W 1991 roku festiwal „Ars Electronica" skierował uwagę na problematykę mediów działających poza naszą kontrolą. Od tego czasu stało się dla nas oczywiste, że o ile bardzo łatwo jest utracić kontrolę nad elektronicznymi technologiami medialnymi, to zadaniem o wiele trudniejszym jest uwolnić się spod ich kontroli.

Współcześnie, z różnych odmian twórczości (multi)medialnej, sztuka interaktywna dostarcza najciekawszych przykładów dzieł podejmujących problematykę władzy i kontroli. Dzieje się tak zapewne dlatego, że interaktywność, w pewnym sensie, oznacza właśnie kontrolę. Sztuka interaktywna stwarza odbiorcom możliwość przejmowania kontroli nad percepcją dzieła, nad procesem tworzenia form i znaczeń. A ponieważ artysta także na ogół pragnie zachować (chociaż do pewnego stopnia) kontrolę nad tymi procesami, to w rezultacie interaktywna komunikacja artystyczna jawi się w postaci pełnej powagi gry, której przedmiotem jest zdobycie, utrata, bądź odzyskanie kontroli. Władza/kontrola, stematyzowana bądź wpisana w strukturę dzieł należących do domeny mediów, uzyskuje w ten sposób rangę jednej z najważniejszych właściwości sztuki interaktywnej. Syndrom: sztuka - media - władza, natomiast, staje się jednym z najciekawszych tematów badań nad współczesną kulturą artystyczną.

Dzieła interaktywne nader często umieszczają odbiorcę w przestrzeni gry z dziełem (czy też określającym je systemem), gry, w której dominacja wydaje się nagrodą dla zwycięzcy, a podporządkowanie – oznaką przegranej. Dążenie do zdobycia kontroli wydaje się główną zasadą takiej gry. Uwikłany w nią odbiorca ma jednak także do wyboru ścieżkę prowadzącą ku głębszemu samopoznaniu, ścieżkę, na której jego/jej tożsamość może zostać na nowo określona (bądź przemyślana) i - w rezultacie - może on(a) podjąć decyzję wycofania się z wyżej określonej przestrzeni gry. Takie właśnie doświadczenie (obok rozbudowanej świadomości implikacji społeczno-kulturowych, wywoływanych przez technologie elektroniczne) wydaje się finalnym (i częstokroć najważniejszym) elementem przeżycia, oferowanego przez interaktywną sztukę multimedialną. W ten sposób także i tożsamość zostaje uwikłana w system gry. Ma ona na-

one wants, for his/her own good, to know which authorities and for which purposes use (or may use) media technologies to satisfy their needs, which do not necessarily are also ours (Wark, 1995). In 1991, Ars Electronica Festival pointed to the problem of the media being out of our control. Since then it has become very obvious that if it is very easy to lose control over electronic media technologies, it is much more difficult to get away from their control.

At this moment, among the various types of (multi)media art, interactive art presents the most interesting examples of pieces addressing the issues of power and control. Most probably the reason is that in fact interactivity in itself means control. Interactive art offers its recipients the possibility of control over their perception of the piece, over the process of creation of the forms, and over their senses. And since the artist also wishes to retain (at least to some extent) the control over these processes, the interactive artistic communication seems to be a very serious game; the aim of which is to gain, lose or regain control. In this way, power and control, thematically or structurally presented in media art, becomes one of the most important qualities of interactive art, while the syndrome: art-media-power becomes one of the most important aspects of modern art.

Interactive works of art quite often place the recipient as a participant in a game with the artwork, or the system shaping it. In this game usually, domination seems to be the award for the winner, and subservience the sign of failure. The effort to gain control seems the main purpose of this game. The recipient involved in the game can, however, chose the path leading to deeper self-knowledge, where his/her identity can be re-defined or re-thought once again, and as a result, s/he can make a decision to abandon the above mentioned area of the game. Except for a complex awareness of cultural and social implications of the development of electronic technologies, the experience I have just described may be perceived as the final and, frequently, the most significant level of aesthetic experience offered by interactive (multi)media art. In this way, the identity becomes involved in the game. It is subjective but it is conditioned by the social context. That is to say it enters into relationships with media technologies as communication tools between individuals as well as between communities. Here an individual is again confronted with the issue of control which s/he exerts, or much more often, s/he is under. Quite often authority in various institutional disguises plays the role of an individual's communication partner. In some situations it may harass him/her. In communicative and creative human behaviors, dangers of state authority may take a form of censorship, for instance. As a manifestation of the state's control and exerted on art, censorship is at the same time the institutionalized form of violence.

The problems described above, along with many others in the sphere of (multi)media, transgress the areas traditionally linked with art and are in fact closer to social issues. This means the elimination of the borders of art, revealing that art's scope is equal

turę subiektywną, zarazem jednak jest zawsze uwarunkowana przez kontekst społeczny. A to oznacza, że wchodzi w relacje z technologiami medialnymi jako narzędziami komunikowania między jednostkami, jak również między indywiduum a rozmaitymi społecznościami (wspólnotami). I na tej drodze jednostka zostaje ponownie skonfrontowana z problemem kontroli, którą musi sprawować lub, znacznie częściej doświadczać (podlegać). Często w roli partnera komunikacyjnego jednostki występuje Władza w różnych wcieleniach instytucjonalnych, która w określonych sytuacjach stwarza dlań zagrożenie. W wypadku komunikacyjnych i kreacyjnych zarazem zachowań jednostki owo zagrożenie ze strony instytucji władzy może, na przykład, przejawić się w postaci cenzury. Będąc manifestacją kontroli sprawowanej nad sztuką przez państwo i jego instytucje (niekiedy także przez inne ośrodki roszczące sobie prawo rządu dusz), cenzura jest zarazem zinstytucjonalizowaną formą przemocy.

Wskazane wyżej problemy, jak i wiele innych występujących w przestrzeni wyznaczanej przez (multi)media, wykraczają poza obszar tradycyjnie identyfikowany ze sztuką, kierując się w stronę zagadnień społecznych. Oznacza to jednak znoszenie granic sztuki i ujawnianie, iż jej pole jest tożsame ze światem, że nie ma esencjalnych różnic między sztuką i niesztuką, nie ma problemów artystycznych i nieartystycznych, lecz jedynie artystyczny sposób podejmowania problemów. Zagadnienia społeczne mogą stać się w ten sposób zagadnieniami artystycznymi. Dyskursy sztuki mogą przyjąć zabarwienie polityczne, rasowe, feministyczne. Ta transgresja pociąga za sobą problematyzację kolejnej granicy, tym razem między przestrzenią publiczną a prywatną, granicy, która w dobie multimediów staje się coraz bardziej iluzoryczna. Równie iluzoryczna jak autonomia i subiektywność tożsamości podmiotowej, która w dzisiejszych czasach coraz częściej zdaje się produktem mediów.

Od malarstwa do wideo

W przestrzeniach sztuki kształtującej się w wyniku rozwoju opisanych wyżej procesów coraz większe znaczenie, w skali światowej, zyskuje współcześnie multimedialna twórczość Mirosława Rogali. W ciągu kilku ostatnich lat artysta ten przedstawił całą serię dzieł, które podejmują najważniejsze, scharakteryzowane wyżej problemy cyberkultury, wynosząc je zarazem na najwyższy poziom artystyczny. Warto prześledzić drogę, jaką przebył, aby zająć dzisiejszą pozycję w sztuce, bo w ten sposób można lepiej zrozumieć genezę, złożoność oraz cele najnowszych tendencji twórczych.

Rogala studiował malarstwo w Akademii Sztuk Pięknych w Krakowie (w pracowni Andrzeja Strumiłły). Dyplom uzyskał w roku 1979. Wcześniej ukończył średnią szkołę muzyczną. Publikował wiersze na łamach czasopism literackich („Poezja", „Nowy Wyraz", „Student"). Przywołuję te szczegóły z biografii Rogali, gdyż ujawniająca się w nich rozległość zainteresowań artystycznych okazała się wkrótce niezwykle ważną właściwością jego postawy twórczej.

to the whole world – there are no art or nor-art issues – and we can only speak of artistic approaches. Social issues become therefore aesthetic issues. They can be political, racial, and/or feminist. This transgression entails the questioning of another border: between the public and the private. That border is to a larger and larger extent an illusion. It is equally illusionary as is autonomy and subjectivity of subjective identity, which seems more and more to be a media product.

From Painting to Video

In the areas of art fashioned as a result of the above-described processes presently on the art scene, Mirosław Rogala's art gains increasing importance.

34. Pulso-Funktory 1975-79

W połowie lat siedemdziesiątych Rogala przedstawił realizację o nazwie *Pulso-funktory* – połączenie obrazu ze świetlówkami i dźwiękami. Nie byłoby może w tym wydarzeniu nic szczególnie zasługującego na wspomnienie – w innych swych ówczesnych pracach także łączył on malarstwo i rysunek z fotografią, pulsującym światłem i dźwiękiem – gdyby nie fakt, iż stanowiące część tego dzieła przełączniki pozwalały artyście, jak również widzom, zmieniać układ świateł i aktualizować w ten sposób różne warianty dzieła. I chociaż zakres oferowanych możliwości ingerencji w strukturę dzieła nie był tu zbyt rozległy, to sam fakt wpisania aktywności odbiorców w konstrukcję tej realizacji nadaje jej charakter (pre)interaktywny. Obok multimedialności, także zaznaczającej swoją obecność już we wczesnych pracach Rogali, to właśnie interaktywność stanie się w przyszłości podstawowym atrybutem jego twórczości. Dlatego od przypomnienia tej pracy należało, w moim przekonaniu, rozpocząć analizę dzieła Rogali.

Po ukończeniu Akademii w Krakowie artysta wyjeżdża do USA, gdzie podejmuje studia w The School of the Art Institute w Chicago (1981-1983). Ich przedmiotem staje się tym razem wideo i performance. I jest to bardzo znamienny wybór. Z jednej strony świadczy on o równolegle rosnącym znaczeniu technologii audiowizualnych oraz tendencji performatywnej w twórczości Rogali. Z drugiej natomiast, ujawnia postępującą w niej integrację rozmaitych mediów. Wideo jako intermedium (zob. Kluszczyński, 1999), jest etapem w jego dążeniu ku dziedzinie jeszcze bardziej złożonej i zintegrowanej – sztuce hipermedialnej (Kluszczyński, 1997a).

Pierwszą pracę wideo Rogala zrealizował już w USA w 1980 roku. Taśma *Polish Dance* ma formę videoperformance'u. Jest ona zarazem przykładem bardzo interesującej relacji pomiędzy performerem (Rogala) a kamerą oraz wynikającej stąd dynamizacji przestrzeni. W pracy tej operator podąża kamerą za ruchem performera, starając się utrzymywać w kadrze jego twarz. A ponieważ performer nieustannie wykonuje nieprzewidywalne ruchy, zwroty, operator, chcąc wykonać swoje zadanie, jest zmuszony wyprzedzać własnymi ruchami zachowania tamtego. To napięcie pomiędzy dwoma powiązanymi ze sobą, ale zarazem samodzielnymi ośrodkami ruchu, performerem i kamerą, staje się źródłem energii, dynamiki obrazu, a zarazem inicjuje refleksję na temat uwikłań autonomicznej jednostki w sieć relacji spo-

During the last several years the artist has shown a group of artworks which raise the most important issues of cyberculture and have taken them to the highest artistic level. It is worth looking at his artistic past to understand better the origins, the complexities, and the objective of his recent art tendencies.

Rogala studied painting at the Academy of Fine Arts in Cracow under Andrzej Strumiłło, graduating in 1979. Previously he had finished a musical high school. He published his poetry in "Poezja" (Poetry), "Nowy Wyraz" (New Expression) and "Student" magazines. I quote Rogala's biography in detail as these points would soon turn out to be extremely important for his art.

Around mid-seventies Rogala exhibited a work entitled *Pulso-functors*, where paintings were connected to neon light tubes. It would have been nothing of special interest, (as in his earlier works Rogala mixed the media of painting, drawing, photography and pulsating light, as well as sound), if he hadn't added special switches which allowed the artist, as well as the visitors, to change the light set and to form various variants of the artwork. Although the scope of visitor's interference possibilities was not especially wide, the very fact of visitors' activity in the piece's structure, allows us to call it pre-interactive. Except for multimedia characteristics already present in the early Rogala's works, interactivity would in the future become the main quality of his art. For this reason I have chosen to describe *Pulso-functors* at the beginning of the analysis of Rogala's art.

After graduating from Cracow Academy, Rogala left to the USA and he began post-graduate studies at the School of the Art Institute in Chicago (1981-83) in video and performance. It was a significant choice. On the one hand it proved the increasing importance of both audio-visual technologies and performance in Rogala's art, and on the other, it revealed integration of various media. As an intermedium (see Kluszczyński, 1999), video was a stage on his journey to an even more complex and integrated area, i.e. the hypermedia art (Kluszczyński, 1997a).

Rogala had already made his first video tape in the US, in 1980. *Polish Dance* is a videoperformance. It is also an example of a very interesting relationship between the performer (Rogala), the camera and the dynamics of space resulting from that relationship. The cameraman follows the performer's movements with the camera trying to record his face. Since the performer continuously and unexpectedly moves in different sides, the cameraman has to anticipate his moves. The source of the energy, of the image dynamics is the tension between the two related to each other but also autonomous movement centers: the performer and the camera. This tension initiates the discourse on the position of the individuals in the social context. The landscape and the horizon (seen in full circle) in relation to permanent movement and changing cadres makes for the dynamics of space. The melody, played on harmony, accompanies the image adding to the dynamics of the tape in relationship to the pictures of the city (counterpoint).

In subsequent video works such as *Four Simultane-*

łecznych. Pejzaż i horyzont (rozciągnięty w pełnym okręgu) w relacji do ciągłego ruchu i zmieniających się kadrów budują tu wspólnie dynamikę przestrzeni. Towarzysząca obrazowi melodia grana na akordeonie również wchodzi w dynamiczną relację (kontrapunkt) z obrazami miasta.

W kolejnych pracach wideo, na przykład: *Four Simultaneous Provocations*, *Laser Tape*, *Speach* (wszystkie trzy z 1982 roku), *Questions To Another Nation* (czterokanałowa instalacja – 1983, taśma – 1985), *Remote Faces: Outerpretation* (instalacja siedmiokanałowa, 1986) Rogala systematycznie wzbogaca zarówno repertuar podejmowanych

ous *Provocations*, *Laser Tape*, *Speech* (all from 1982), *Questions to Another Nation* (four-channel installation 1983, tape 1985), *Remote Faces: Outerpretation* (seven-channel installation, 1986), Rogala gradually enriched both the repertoire of the problems addressed and the complication of the structures built. Sound gains more and more importance, words (both as speech and graphic signs) enter relationships with the image, bilingual abilities of the artist are exploited. Rogala has created a discourse between abandoned Poland and the America he inhabits, he settled his accounts with the past. The past appears also as intertextual cross-references, for instance

35. Remote Faces: Outerpretation, 1986

problemów, jak i rozpiętość oraz złożoność budowanych struktur. Coraz większe znaczenie zdobywa w jego dziełach dźwięk; w relacje z obrazem wchodzą również słowa (mowa i zapis graficzny); wykorzystywana jest dwujęzyczność artysty. Rogala kreuje dyskurs pomiędzy dwoma światami: opuszczoną Polską i zamieszkiwaną Ameryką, przeprowadza rozrachunek z przeszłością. Ta ostatnia pojawia się również w postaci odniesień intertekstualnych, jak chociażby happening Tadeusza Kantora, w ramach którego Edward Krasiński dyrygował falami morskimi – w *Questions To Another Nation*.

to Tadeusz Kantor's happening where Edward Krasiński directed the sea waves, in *Questions to Another Nation*.

In *QTAN* he steps behind his personal references and sources of inspirations. He transforms images and sounds with a computer to broaden the scope of perceived structures. He analyses the structure of perception through placing the audience of the installation against the necessity of perceiving several different audiovisual phenomena simultaneously. He studies the communication possibilities searching for the interpersonal dialogue, for a common system of symbols and images, etc.). He wonders how many

W *Pytaniach do innego narodu* Rogala odchodzi od czysto osobistych źródeł i inspiracji. Przetwarza komputerowo obrazy i dźwięki, aby poszerzyć zakres percypowanych struktur. Analizuje strukturę odbioru, sytuując publiczność (instalacji) wobec konieczności równoczesnego postrzegania wielu różnych zjawisk audiowizualnych. Bada możliwości komunikacyjne, poszukując podstaw dialogu interpersonalnego (wspólnego systemu symboli, obrazów, wyobrażeń, etc.). Zastanawia się, jak wiele przekazów można odbierać równocześnie i gdzie znajduje się kres przyjemności związanej z percepcją złożonych form multimedialnych.

W tym też okresie kształtuje się i dojrzewa postawa artystyczna Rogali oraz formuje się charakter jego sztuki. Jest to, przede wszystkim, postawa twórcy posługującego się wieloma mediami. W wypadku tego artysty wielomedialność przybiera szereg wcieleń. Po pierwsze, Rogala równolegle uprawia szereg dyscyplin artystycznych: sztukę wideo, fotografię, performance, wykorzystuje techniki laserowe, ale także maluje, rysuje, zajmuje się grafiką, komponuje muzykę, pisze teksty. Nie jest on jednak bynajmniej twórcą, który poszukuje dopiero dla siebie odpowiedniego medium ekspresji, bądź który nie potrafi skoncentrować się i zagłębić w jedną dziedzinę artystyczną,

transmissions one can take simultaneously and where the end of the pleasure derived from the perception of complex multimedia form may be found.

In that period, Rogala's art attitude took shape and formed, characteristic qualities of his art became visible. It is first of all an attitude of an artist working with the versatility of media. In this case multimedia take various guises: first of all Rogala at the same time works in many different art disciplines: video, photography, performance. He uses laser techniques, but also paints, draws, makes graphics, composes music and writes texts. He is by no means an artist who is still looking for a medium of expression suitable for him, or who cannot concentrate on one of the disciplines and will always skip on the surface from one to another. Characteristic for his attitude is an attempt to make relationships between those different media. From this tendency the other incarnation of multimediality characteristic for Rogala's work springs, i.e. his intermedialism. Intermedialism – this is the right word – takes up various forms. At one case it is various media loosely lined in a theatre play, at another used media form a tight structure of an installation, or an environment. Still at another is results from a way of using a "natural" video art's predilection to intermediality. For instance, in *Love*

36. Questions To Another Nation, The School of the Art Institute, Chicago, Illinois, 1983

ślizgając się po powierzchni wielu. Właściwością jego postawy jest bowiem dążenie do wprowadzenia tych różnych mediów we wzajemne relacje. Z tej właśnie tendencji wyrasta drugie wcielenie wielomedialności charakteryzującej twórczość Rogali. Intermedializm, bo tak należy je określić, także przybiera różne formy. Raz jest powiązaniem różnych mediów w stosunkowo luźną strukturę spektaklu. Innym razem wykorzystane media wiążą się w zwartą strukturę instalacji, czy environment. Jeszcze inny jego wariant wyłania się ze sposobu wykorzystania „naturalnej" predylekcji sztuki wideo do intermedialności. Na przykład w wideo-taśmie *Love Among Machines* (1986) żywy taniec zostaje wprowadzony w artystyczny dialog z obrazami generowanymi cyfrowo, poezją, muzyką, rysunkiem. Kolejnym wcieleniem wielomedialności stanie się niebawem sztuka multimedialna, któ-

Among Machines (a video tape from 1986) a live dance is introduced into an artistic dialogue with digitally generated images, poetry, music and drawings. Multimedia art was to become another incarnation of multimedialism shortly, and this was soon to develop into interactive hypermedia art.

Theatrical Contexts

An exceptionally interesting chapter in the history of multimedia experimentation by Mirosław Rogala are his theatre (para-theatre) works. These endeavors have been undertaken together with other artists and actors or are very personal video-theatre, but realized with the co-operation of numerous staff. *Sunday in the Park with George* (in collaboration with the Goodman Theatre, 1986), and *Macbeth* (1988) with The Byrne Piven Theater are examples of the former.

ra rozwinie się następnie w interaktywną twórczość hipermedialną.

Konteksty teatralne

Niezwykle interesujący rozdział w historii wielomedialnych eksperymentów Mirosława Rogali stanowią jego prace teatralne (parateatralne). Bywają one przedsięwzięciem podejmowanym wspólnie z innymi artystami (twórcami teatralnymi) albo też przybierają kształt jego osobistego, autorskiego (choć realizowanego przy pomocy całego zespołu współpracowników) swoistego wideo-teatru. Za przykład prac pierwszego rodzaju może posłużyć spektakl *Sunday in the Park with George* (współpraca z „The Goodman Theater") z roku 1986 albo *Mackbeth* (1988), zrealizowany wespół z „The Byrne Piven Theater". Znakomitym przykładem drugiego rodzaju jest natomiast multimedialny spektakl (wideo-teatr-opera) *Nature Is Leaving Us* (1989).

Dla spektaklu w „The Goodman Theater" Rogala zbudował ścianę wideo, będącą zarazem częścią komputerowo sterowanego obiektu multimedialnego, który połączył gigantyczne projekcje slajdów, obrazy wideo, muzykę elektroniczną oraz efekty świetlne. Obrazy wideo przyjęły tam formę swoistego elektronicznego ekwiwalentu malarskich technik pointylistycznych. Natomiast na potrzeby adaptacji *Makbeta* autorstwa Byrne'a Pivena Rogala zrealizował taśmę wideo *The Witches Scenes* (komponując też do niej muzykę). Piven ulokował akcję sztuki w XXIV wieku. Czarownice, które u Szekspira miały status zjawisk nadprzyrodzonych, w interpretacji Rogali stały się transmisją telewizyjną. Artysta użył do kreacji scen z wiedźmami rozmaitych mediów elektronicznych: zapisu wideo, animowanej grafiki komputerowej, obrazów malowanych komputerowo (Paintbrush), wizualizacji fali dźwiękowej. W scenie wróżb wiedźmy otaczają komputer (czarodziejska kula!), rozmawiają z własnym obrazem widzianym na jego ekranie. Rogala różnicuje protagonistów, posługując się odmiennymi punktami widzenia (Macbeth jest zawsze widziany z góry, wiedźmy - z dołu) i kolorem (Macbeth – barwa zimna, niebieska, wiedźmy – ciepłe brązy). Oba te parametry odgrywają tu ważną rolę, gdyż określają emocjonalny stosunek do postaci. Wideo Rogali przybiera kształt koszmaru sennego – produktu post-apokaliptycznego świata (King, 1994). Właśnie jego praca przyczyniła się w ogromnym stopniu do przekształcenia spektaklu teatralnego Pivena w przedstawienie multimedialne, rozgrywające się w kilku wymiarach przestrzennych, posiadające zróżnicowany rytm, obfitujące w rozmaitość mediów.

Filozofia sztuki Mirosława Rogali wydaje się już wówczas w dużym stopniu ukształtowana. Uważa on, iż sztuka powstaje z wewnętrznej potrzeby i jest wyrazem bezkompromisowej postawy kreacyjnej. Widzi miejsce własnej twórczości na pograniczu różnych dziedzin artystycznych. Jej skomplikowanie i złożoność komunikacyjna ma odzwierciedlać heterogeniczność i dynamikę rzeczywistości. Właściwy dlań eksperymentalizm manifestuje się w pracy na styku komunikatywności i chaosu, w badaniu technologii przedstawienia i studiach nad granicami ludzkiej percep-

A remarkable example of the latter is the multimedia performance (video/theatre/opera) *Nature is Leaving Us* (1989).

For the play in The Goodman Theater, Rogala built a video wall which became a part of a computer operated multimedia object, which united gigantic slide projection, video pictures, electronic music and light effects. Video images took the form of a particular electronic equivalent of the painterly pointillistic techniques. For the needs of Byrne Piven's adaptation of *Macbeth* Rogala realized a video tape *The Witches Scenes* and composed music for it. Piven located his play in the 24th century. Witches, which in Shakespeare's masterpiece were spirits, here are television transmission. To create the scenes with the witches, Rogala used versatile electronic media, i.e. video recording, computer animations, computer painted pictures (Paintbrush) and visualized sound waves. In the scene of future-telling the witches encircle a computer (a magical ball!) and talk to their own image on the screen. Rogala differentiates protagonists by point of watching: Macbeth is always seen from above, the witches from below, and by color: Macbeth in cool color, blue, witches – in warm browns. Both parameters are here important, as they define the emotional attitude towards a protagonists. Rogala's video takes the form of a nightmare, post-capitalistic world product (King, 1994). Rogala's work has significantly helped to transform Piven's theatre performance into a multimedia show, which takes place in more than one space dimension, using changing rhythms and versatile media

Mirosław Rogala's art philosophy seemed to be clearly shaped at that moment. He believes that art comes from the internal need and it is a result of a non-compromised creative attitude. He places his art on the verge of other disciplines. Its complex nature and communicative complication is meant to reflex the heterogeneous and dynamic nature of reality. The experimentalism characteristic of Rogala's art is work which is on the verge of communication and chaos – it is studying the technology of representation and the boundaries of human perception. Rogala discloses in his art his conviction of the fluent nature of the boundaries between the various media. Drawbacks of one medium turn out to be advantages of the other, and here lies the source of transgression and multimedia integration. A creative process beginning in one medium and continued in the second or third becomes an especially attractive creative strategy for Rogala. That approach leads to creating versions of one art work realized in various media (*Lovers Leap* for instance) or a series of versatile (both structurally and medially) works on the same group of problems (*Electronic Garden/NatuRealization*, 1996; *Divided We Speak*, 1997), or finally it gives birth to complex, multimedia achievements, where the discourse is developing through activating following media, as it takes place in *Nature is Leaving Us*.

The premiere show of a video opera *Nature Is Leaving Us* in Chicago in 13. 10. 1989 turned out to be an unusual art event followed by the equivocal

cji. Rogala ujawnia w swoich pracach przekonanie o płynności przejść między różnymi mediami. Ograniczenia tkwiące w jednym medium okazują się wartością w innym – w tym kryje się źródło transgresji oraz integracji multimedialnych. Szczególnie pociągającą strategią stał się dla Rogali proces twórczy, który mając swój początek w jednym medium, jest następnie kontynuowany w drugim, trzecim... Strategia taka prowadzi do powstania "różnomedialnych" wersji tego samego dzieła (na przykład *Lovers Leap*, 1995) bądź do narodzin serii zróżnicowanych (zarówno medialnie, jak strukturalnie) prac rozwijających ten sam kompleks problemowy (na przykład *Electronic Garden/NatuRealization*, 1996; *Divided We Speak*, 1997), bądź wreszcie powołuje do istnienia złożone multimedialne realizacje, w obrębie których dyskurs rozwija się poprzez sukcesywnie postępującą aktywizację kolejnych, uwikłanych w dzieło mediów, jak to się dzieje w *Nature Is Leaving Us*.

and full recognition, if not admiration, of the critics (see e.g. Christiansen, 1989, Voedisch, 1989). Lasting more than an hour, this fourteen part performance has again, and to a larger extent than ever before in Rogala's work – united several media. The central part of the realization is a three channel video wall made of 48 monitors in three parts. Additional two channels are provided by the remote controlled monitor and a moving camera, which transfers its images into the video-wall so that people in the audience can see themselves on the monitors. Visual structure is completed additionally by slide projection and two neon sculptures. Sound space is made of five channels forming sound-surround system and completed by electronic music, piano played live and singing. Dance and theatre spectacle are the remaining elements.

Although there have been multiple attempts to read it in this way, Rogala's video opera is not a lamenta-

37. The Witches Scenes/Macbeth, 1988

Wideo-opera *Nature Is Leaving Us*, której premiera odbyła się w Chicago 13 października 1989 roku, okazała się wyjątkowym wydarzeniem artystycznym, wywołującym bardzo zgodną i pełną uznania (bądź wręcz zachwytu) reakcję krytyki (zob. np. Christiansen, 1989; Voedisch, 1989). Trwające ponad godzinę, składające się z czternastu części przedstawienie ponownie – i to w stopniu większym niż kiedykolwiek wcześniej w sztuce Rogali – związało ze sobą wiele rozmaitych mediów. Centralna część przestrzenna realizacji to składająca się z czterdziestu ośmiu monitorów trzykanałowa, trzyczęściowa ściana wideo. Dodatkowe dwa kanały wideo są dostarczane przez poruszający się po scenie na wózku zdalnie sterowany monitor oraz równie mobilną kamerę, która przekazuje obrazy na monitory tworzące *video-wall* (publiczność może widzieć siebie samą na ekranach). Strukturę wizualną pracy współtworzą ponadto projekcje slajdów oraz dwie rzeźby neonowe. Przestrzeń dźwiękowa pracy jest z kolei budowana przez pięć kanałów tworzących system *surround-sound*, a wypełnia ją muzyka elektroniczna, fortepian (na żywo) oraz śpiew. Multimedialną strukturę spektaklu dopełnia taniec i przedstawienie sceniczne.

Wideo-opera Rogali nie jest ekologicznym lamentem nad dewastacją natury, wbrew licznym próbom takiego jej odczytania. Problem, wokół którego została zorganizowana jej struktura, to postępująca nieuchronnie transformacja współczesnego świata, w którym technosfera uzupełnia, a w wielu wypadkach zastępuje naturę, oraz konsekwencje tego procesu dla życia ludzkiego. Zmieniające się współcześnie postawy wobec natury, skonfrontowane z jej tradycyjną rolą w kulturze oraz formami jej artystycznego przedstawienia, współtworzą metaforyczny obraz świata u schyłku dwudziestego wieku, świata, który nie dostarcza nam już wyraźnego doświadczenia ciągłości. *Nature Is Leaving Us* mówi o kształtowaniu się nowego elektronicznego krajobrazu. Mówi o nas, budujących ten krajobraz także we własnych umysłach.

Struktura *Nature Is Leaving Us* jest również złożona i wieloaspektowa, jak jej charakterystyka medialna. Rogala operuje zróżnicowaną skalą, nieustannie zmieniającym się tempem i rytmem, przy czym te parametry, ze względu na multimedialność i wieloelementowość pracy, pojawiają się często w kontrapunktowym zwielokrotnieniu (na przykład w pierwszej części opery – *Accelerating World* – przyspieszonemu ruchowi w obrazie towarzyszy równoległe zwolnienie aktorskich zachowań na scenie). Swoistym lejtmotywem strukturalnym jest tutaj poszukiwanie bądź ustanawianie pokrewieństw formalnych między różnomedialnymi i zrealizowanymi w różnych materiałach składni-

tion on the devastation of nature. The problem which centralizes its structure is the inevitable transformation of the modern world, where the techno-sphere completes and in many cases exchanges nature, together with the consequences of that process for the human life. Attitudes toward nature, which do change, presently confronted with its traditional role in culture and forms of artistic representation form a metaphysical portrait of the world at the brink of the 21st century, the world which no longer gives us the feeling of continuation. *Nature is Leaving Us* speaks of the shaping of the new electronic landscape. It also speaks about us building that landscape in our minds.

The structure of *Nature Is Leaving Us* is equally complex and multi-facial as its media characteristics. Rogala uses many different scales, continually changing tempo and rhythm. Because of the multimedia used to form so many parts of the work, the above parameters are often appearing in counter-point multiplication: for instance, in the first part of the piece, *Accelerating World*, the accelerated image on the screens is paralleled by the reduced speed of the actors' moves on the stage. A characteristic structural leitmotiv in Rogala's work is searching for or finding formal parallels between components of the work carried out in different media and different materials. However, the artist equally often uses the composers' trick, i.e. he hampers the float of the narration by adding an element which destroys the balance and harmony. Urszula Dudziak's singing quite often has the role of destroying the order. The above mentioned experience of lack of continuation is felt at perceiving the images, while the performance is a permanently undertaken attempt to regain the order.

One may notice the open attitude of the artist, or his readiness to accept surprising events. Employing a little child as an actor, in itself is a special way of incorporating chance in the structure of the opera – his actions one can never be sure about. From this point of view, the history of the 12th part of the opera, entitled *The Electronic City*, may also be interesting. The breakdown of the machine generating images during the preparatory process has led to producing electronic noise, which after some changes, have been incorporated into the work, becoming a representation and a symbol of a new city.

The endeavors undertaken by Rogala have led here, as it is usual in his work, to the shaping of a dynamic, changing space. In *Nature Is Leaving Us* we can observe the continuous transformation of the perspective, leading up to the total turning or exchange of the space of the scene with the space of the audience when the movable camera takes the images of the audience to the screens of the video-wall. The final result is a kind of evading of the opera, which in its complexity evades our perception. We encounter here another example of pre-interactivity in Rogala's work, which in this opera is achieved through structural complexity, which makes a break through from linear narration (Kluszczyński, 1997b). A viewer left alone against a multiplication of phenomena composing the work and deprived of any possibi-

38. Nature Is Leaving Us, Scene I: Accelerating World, 1989

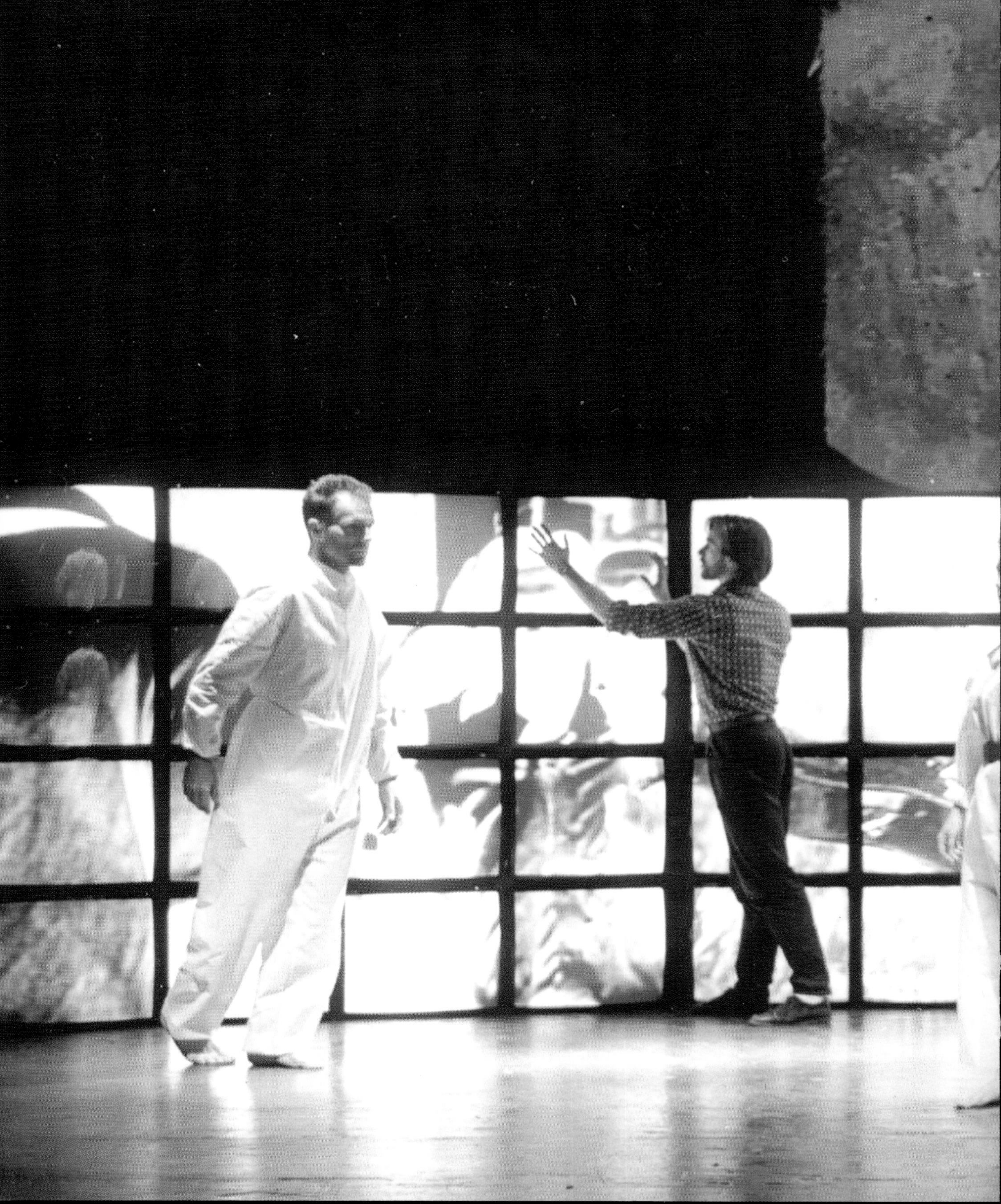

kami realizacji, aczkolwiek równie konsekwentnie stosowanym przez artystę chwytem kompozycyjnym jest niespodziewane i gwałtowne zakłócenie postępu dzieła przez wprowadzenie elementu burzącego harmonię. Śpiew Urszuli Dudziak nader często pełni tę destrukcyjną wobec ustanawianego ładu rolę. Wspominane powyżej doświadczenie braku ciągłości towarzyszy percepcji obrazów, natomiast performance jest niestrudzenie podejmowaną próbą jej przywrócenia, odzyskania utraconego porządku.

Zwraca uwagę otwartość postawy artysty, jego gotowość zaakceptowania nieoczekiwanych wydarzeń. Już samo wprowadzenie do spektaklu, jako aktora, bardzo małego dziecka jest specyficzną formą wszczepienia przypadku w strukturę dzieła (nie można przewidzieć dziecięcych zachowań). Interesująca, z tego punktu widzenia, jest również geneza części dwunastej opery: *The Electronic City*. Awaria urządzenia generującego obrazy, która nastąpiła w trakcie prac przygotowawczych, doprowadziła do wyprodukowania nieplanowanego szumu elektronicznego. Został on (po niewielkim przetworzeniu) wprowadzony do pracy i stał się w niej przedstawieniem-symbolem nowego miasta.

Zabiegi stosowane przez Rogalę doprowadziły tutaj, jak zwykle w jego realizacjach, do ukształtowania się dynamicznej, zmiennej przestrzeni. W *Nature Is Leaving Us* obserwujemy nieustanne transformacje perspektywy, prowadzące aż do całościowego odwrócenia – wymiany przestrzeni dzieła z przestrzenią widowni, co następuje z chwilą, gdy ruchoma kamera przenosi obrazy widzów na ekrany ściany wideo. Finalnym rezultatem jest swoista nieuchwytność pracy, która w swej złożoności wymyka się naszej percepcji. Mamy tu więc do czynienia z kolejnym w twórczości tego artysty przykładem pre-interaktywności, osiąganej tym razem przez narzucenie dziełu komplikacji strukturalnej, która przełamuje ramy linearności (Kluszczyński, 1997b). Odbiorca pozostawiony w obliczu nadmiaru zjawisk składających się na całość realizacji, pozbawiony możliwości ich ogarnięcia, zostaje skazany na wybór własnej drogi przez świat dzieła. Nie trzeba chyba nawet dodawać, iż ta właściwość kompozycji dzieła określa nie tylko strukturę jego percepcji, ale także jego semantykę.

Kolejne realizacje Mirosława Rogali należą już całkowicie do kultury doświadczeń interaktywnych.

W przestworzach hipermediów
Lovers Leap, dzieło zrealizowane przez Rogalę podczas pobytu w Centrum Sztuki i Technologii Medialnych (ZKM) w Karlsruhe w latach 1994-95, występuje w dwóch postaciach, w dwóch różnych multimediach: jako interaktywna, funkcjonująca w czasie rzeczywistym, zrealizowana w wielkiej skali, instalacja-environment, oraz jako interaktywny CD-ROM.

Lovers Leap – instalacja wyznacza monitorowaną, dynamiczną przestrzeń, w której porusza się widz-interaktor, który ma na głowie nadajnik i słuchawki. Dzięki nim właśnie, jako jedyny spośród wszystkich obecnych w przestrzeni instalacji, może on(a) doświadczać nie tylko obrazowych, ale także dźwiękowych wymiarów dzieła. Jego/jej ruch powoduje zmia-

lity of grasping the whole of it, is "condemned" to her/his own choice of the path through its universe. It is unnecessary to add that such a quality of the work composition is not only defining the structure of its perception, but its semantics as well.

In the hypermedia spaces
Lovers Leap, Rogala's work completed during his stay at the Center for Art and Media Technologies (ZKM) in Karlsruhe between 1994 - 95 exists in two versions realized in two different multimedia: as an interactive real-time large-scale environment installation, and as an inter-active CD-ROM.

Lovers Leap – installation marks a dynamic, monitored space in the scope of which a interacting visitor with headphones and a transmitter on her/his head is located. Thanks to the headphones as the only one of the audience s/he may experience both the visual part and the sound of the piece. The person's movement induces changes in the images (of the video projection) as well as brings about changes in the acoustic sphere. Had more people moved in the area, they would be confined to the changes caused by the individual singled out by the transmitter. The recipient-interactor is observing changes of perspective in the projection (in the Chicago sequences, which are animated 12-dimensional photographs), is experiencing sudden appearances of the images from another level (Jamaica video sequences) and thus is gradually becoming aware that it is her/his movement that causes the transformations. The question, however, how it happens, what is the rule, may remain unanswered. Therefore awareness of having the controlling and navigating function does not entail exerting real control. The asymmetry may obviously motivate the interacting person to attempt to grasp full knowledge of the situation, the knowledge of the relationship between one's physical behavior and installation functioning. One may feel motivated to turn this knowledge into actions which allow her/him to grasp full control over the situation. Full control means full domination. The awareness of these consequences may push the recipient to make another choice, namely to concentrate on one's aesthetic experience and to ignore the actions leading to mastery, control and domination (and to rethink the possibility of such a choice, the possibility of separating the aesthetic from the social). Aesthetic choice is in this case conditioned by the previous ethic choice (it is a question of philosophy of life). No doubt another thing results from the interaction, namely one realizes that in the complex situations both in terms of structure and material, full domination is in fact impossible to reach. Still another consequence of using *Lovers Leap* is the awareness of control mechanisms also in the art. As Timothy Druckrey remarked at analysis of *Lovers Leap*, imaging is a process, where the subject is united with the object with a system of representation (Druckrey, 1995).

We can see here the co-existence of spatial behaviors (changes of location in space) and mental behaviors (changes of perspective in the image) with parallel and unintentional – initiated by the very struc-

ny wizualne w obrazach (wideoprojekcja), jak również przynosi transformacje sfery akustycznej (jeśli w przestrzeni dzieła znajdują się też inni odbiorcy, to są oni skazani na doświadczanie rezultatów zachowań tego jednego, wyróżnionego posiadaniem nadajnika). Odbiorca-interaktor obserwuje zmiany perspektywy następujące w obrazie (sekwencje z Chicago: animowana 12-wymiarowa fotografia), doświadcza nagłych pojawień się obrazów z innego poziomu (sekwencje z Jamajki: wideo) i zyskuje świadomość, iż to jego ruch właśnie jest przyczyną owych transformacji. Nie od razu jednak (jeśli w ogóle) znajduje odpowiedź na pytanie, w jaki sposób to się odbywa. Świadomość sprawowania funkcji kontrolnej (sterującej) nie staje się więc eo *ipso* formą sprawowania rzeczywistej (świadomej) kontroli. Ta asymetryczność może motywować widza-interaktora do zachowań zmierzających do osiągnięcia pełnej wiedzy na temat sytuacji, w której się znalazł(a), wiedzy dotyczącej związku pomiędzy jego/jej zachowaniami fizycznymi a funkcjonowaniem instalacji, oraz do operacjonalizacji tej wiedzy, do przełożenia jej na system działań, który pozwoliłby sprawować pełnię kontroli nad całą tą sytuacją. A to prowadziłoby z kolei do zdobycia pełnej nad nią władzy. Świadomość tych konsekwencji może jednak skłaniać odbiorcę do innego wyboru, takiego, który każe mu/jej skupić się na własnym doświadczeniu w celach jedynie estetycznych i odrzucić tym samym działania zmierzające do przejęcia kontroli i władzy (co pociąga za sobą konieczność rozważania kwestii relacji pomiędzy tym co estetyczne, a tym co społeczne). Wybór perspektywy estetycznej jest w tym wypadku uwarunkowany uprzednim wyborem etycznym (światopoglądowym). Niewątpliwie pomocna przy podejmowaniu takiej decyzji jest również świadomość uzyskana przy okazji interakcji z dziełem, ta mianowicie, iż w sytuacjach złożonych, skomplikowanych strukturalnie i materiałowo, pełnia kontroli jest w istocie nieosiągalna. Inną konsekwencją obcowania z *Lovers Leap* jest pogłębiona świadomość działania mechanizmów kontroli, także w świecie sztuki; jak bowiem zauważył Timothy Druckrey przy okazji analizy tej pracy, obrazowanie jest procesem, w którym podmiot jest wiązany z przedmiotem przez system reprezentacji (Druckrey, 1995).

Sprzężenie zachowań przestrzennych (zmiany usytuowania w przestrzeni) i mentalnych (zmiany perspektywy w obrazie) z równolegle i mimowolnie (inicjuje ją sama struktura dzieła) prowadzoną refleksją dotyczącą całości doświadczenia sprawia, iż opisywana wędrówka (nawigacja) odbiorcy-interaktora przez labirynt struktury *Skoku kochanków* łączy w jedną całość wszystkie wymiary dzieła: zmysłowo-percepcyjny, przestrzenny, czasowy, emocjonalny, intelektualny, estetyczny i etyczny. Interaktywne zachowania odbiorcy – odsłaniając strukturę pracy i spełniając w ten sposób funkcję metaartystyczną – stają się zarazem dla niego/niej formą ustalania (rozpoznawania bądź przebudowywania) własnej tożsamości. Równocześnie jednak dzieło Rogali przynosi możliwość odkrycia w świecie pozycji Innego, tego, który w jakimś momencie, z jakiegoś powodu, popada w uzależnienie od naszych zachowań, stając się

ture of the work – reflection on the whole of experience. Therefore the navigation through the maze of *Lovers Leap* structure unifies all the work's aspects, i.e. sensual, perceptive, spatial, temporal, emotional, intellectual, esthetical and ethical. While interactive gestures on the part of the user reveal the structure of the work and thus gain the meta-artistic function, they simultaneously become a way of forming, that is recognizing, or reshaping of one's identity. At the same time, however, Rogala's work gives an opportunity to discover the Other in the world, who at one moment for one reason or another becomes dependent on our behaviors and thus becomes our hostage in our struggle with the world. Together with the Other, the problem of responsibility appears. The above theme will be repeated in the following Rogala's endeavors where relations between individual users as a part of interaction initiated by the piece would play larger and larger roles. And as the personalization of the Other grows and its participation in collective creation rises, freedom, which up to date was one interactor's quality, becomes a subject of negotiation (Shanken, 1997).

The above complexity of recipient experience of *Lovers Leap* correlates both intricate spaces of the work (dynamic unity of the real space of the installation with the space showed in the transformed photo images and video sequences) as well as multi-layered connotations of the piece. The title itself takes the artistic and philosophical discourse into existential domain: „Traveling from Chicago to Jamaica," he writes, „I visited a place called «Lovers Leap» (a legendary location of tragic lovers – such places exist all over the world): there was a military radar scanning the sky. This physical surprise created a conceptual leap as well." (Rogala, 1995).

Lovers Leap encompasses all the areas discussed in the introductory part of this essay. The multime-

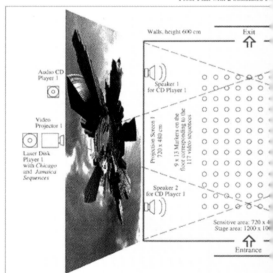

LOVERS I

Floor Plan with 2 Simulated P

Walls, height 600 cm   Exit

Audio CD Player 1

Speaker 1 for CD Player 1

Video Projector 1

Projection Screen 1 720 x 480 cm

9 x 13 Markers on the floor corresponding to the 117 video sequences

Laser Disk Player 1 with *Chicago* and *Jamaica Sequences*

Speaker 2 for CD Player 1

Sensitive area: 720 x 4 Stage area: 1200 x 1

Entrance

LOVERS LEAP, 1995; Interactive Multimedia

in collaboration wi
Ludger Hovestadt, *12–D Desi*
Ford Oxaal, *Minds–Eye–Vie*

wskutek tego zakładnikiem w naszych potyczkach ze światem. Wraz z Innym pojawia się również problem odpowiedzialności. Wątek ten będzie się rozwijał w kolejnych realizacjach tego artysty, w których relacje pomiędzy poszczególnymi odbiorcami – wpisane w strukturę inicjowanych przez dzieło interakcji – będą

dia structure provides perspective, through which we can have a better view on art, existence and power: "Power and authority depend on that where we place ourselves in the scope of our environment. The viewer's power grows in proportion to his awareness of the mechanisms of control. Each of the viewers cre-

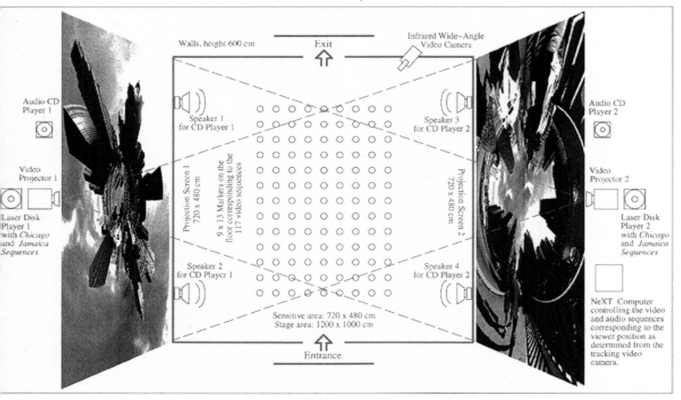

LOVERS LEAP

Floor Plan with 2 Simulated Projection Screens

LOVERS LEAP, 1995; Interactive Multimedia Installation by Miroslaw Rogala

in collaboration with
Ludger Hovestadt, *12–D* Design Environment
Ford Oxaal, *Minds–Eye–View* Perspective

39. Lovers Leap, 1995 (Sketch)

odgrywać coraz większą rolę. I w miarę rosnącej personalizacji Innego oraz jego powiększającego się udziału w kolektywnej kreacji wolność, niepodzielnie dotąd przynależna pojedynczemu interaktorowi, staje się przedmiotem negocjacji (por. Shanken, 1997).

Wskazana wyżej złożoność doświadczenia odbiorczego odzwierowuje zarówno skomplikowanie przestrzenne *Skoku kochanków* (dynamiczne połączenie realnej przestrzeni instalacji z przestrzenią przedstawia-

ates a new and different art work dependent on the extent of his engagement, understanding and participation in power. Many leave without any demands of power. It happens in love, too." (Rogala 1995).

Lovers Leap – CD-ROM being at first sight the same work, gives a totally different experience. A completely different scale and a different interface transfer together the piece from the public space to the private. Physical, full-body engaging experience of the

ną w transformowanych obrazach fotograficznych i w sekwencjach wideo), jak i wielowymiarowość konotacji dzieła. Już sam jego tytuł przedłuża dyskurs artystyczno-filozoficzny w domenę egzystencjalną: „Podróżując z Chicago na Jamajkę, zwiedziłem miejsce zwane 'Skokiem kochanków' (legendarne miejsce upamiętniające tragicznych kochanków – jedno z wielu podobnych na całym świecie): znajdował się tam radar wojskowy patrolujący niebo. To fizyczne zaskoczenie wywołało również skok myślowy". (Rogala, 1995)

Lovers Leap ogarnia swym odniesieniem wszystkie dziedziny omawiane we wstępnej części tego eseju. Struktura multimediów dostarcza perspektywę, dzięki której możemy lepiej przyjrzeć się sztuce, egzystencji i władzy: „Władza i siła zależą od tego, gdzie umiejscowimy siebie w obrębie naszego otoczenia. Władza widza rośnie w miarę, jak uświadamia on sobie mechanizmy kontroli. Każdy z oglądających tworzy nowe i odmienne dzieło, zależnie od zaangażowania, zrozumienia i przejścia na pozycję siły. Wielu odchodzi nie roszcząc sobie prawa do władzy. Zdarza się to też w sprawach miłości". (Rogala, 1995)

Lovers Leap – CD-ROM, chociaż jest teoretycznie tą samą pracą, przynosi odbiorcy doświadczenie bardzo różniące się od poprzedniego. Całkowicie inna skala realizacji i zupełnie odmienny interfejs wspólnie przenoszą dzieło z przestrzeni publicznej w prywatną. Cielesne, fizyczne doznania towarzyszące percepcji instalacji zostały zastąpione przez doświadczenie wizualno-dotykowe CD-ROM-u. W tym ostatnim odbiorca zyskuje możliwość wyboru pomiędzy dwiema odmianami interfejsu (ruchomym bądź nieruchomym oknem). Różnica percepcyjna między dwiema wersjami *Lovers Leap*, mimo licznych wspólnych właściwości, takich na przykład, jak: obrazowość (chociaż wersja CD-ROM zawiera więcej fotografii), interaktywność, podobna organizacja hipertekstualnej struktury audiowizualnej, temat, uświadamiają raz jeszcze, jak istotną rolę odgrywa w sztuce charakterystyka użytego medium.

Kolejna realizacja Rogali, usytuowana w publicznej przestrzeni parku Washington Square w Chicago interaktywna instalacja *Electronic Garden/NatuRealization* (1996), podejmuje problematykę swobody wypowiedzi. Rogala nawiązał do historii Bughouse Square, bo tak było niegdyś nazywane miejsce słynne z powodu praktykowanej tam wolności słowa, w którym została zlokalizowana instalacja. Zbudował metalową konstrukcję zaopatrzoną w głośniki. W pamięci komputera sterującego instalacją zostały zmagazynowane różne wypowiedzi znanych osób (historycznych i współczesnych), związane w rozmaity sposób z historią wybranego miejsca. Czujniki wrażliwe na temperaturę ciała uruchamiały komputer, gdy tylko ktoś znalazł się w kontrolowanym przez nie polu, a ten z kolei sterował emisją przygotowanych wypowiedzi. Przebiegająca w ten sposób interakcja pomiędzy dziełem a publicznością mogła zostać następnie przedłużona w interakcje (dialogi) pomiędzy samymi słuchaczami. Instalacja Rogali przypominała w ten sposób, iż wolność słowa jest przede wszystkim dobrem tych, którzy wypowiadają się publicznie.

installation has been replaced by the visual and tactile experience of the CD-ROM. Here, the user gets the possibility of choosing between two versions of the interface (a moving or stabile eye). The difference of perception between the two versions, apart from multiple common qualities, such as imagery (although CD-ROM version includes more photographs), interactivity, similar organization of the audio-visual structure, and subject, make us realize how important a role in art is played by characteristics of the medium used.

Another work of Rogala's, an interactive *installation Electronic Garden/NatuRealization* (1996) located in the public space of Washington Square park in Chicago raises issues of freedom of speech. Rogala referred here to the history of Bughouse Square, the part of the park where the installation was located He built a metal construction with speakers in the part of the park famed for the freedom of speech practiced there. In the hard disc of a computer a number of speeches by various well-known people (both historical and contemporary) in various ways related to the past of the chosen place. Sensors sensitive to the body temperature activated the computer while someone appeared in the area controlled by them, and from now on the person could navigate between the prepared speeches. In such a way the interaction between the work and the audience could possibly be continued in the dialogues/interactions between the listeners themselves. Rogala's installation reminded us that the freedom of speech is a profit especially for those who speak in public.

Because of its references to a concrete place *Electronic Garden* combined the qualities of a public space art and *in situ* installation. Here again Rogala emphasized the role of the physical body as an interface in the artistic interaction, especially in the work exhibited in a public space. He also underlined the immense importance for contemporary art of the transformations in the current aesthetic paradigm, especially of the aesthetic situation model as well as resulting changes of the role and status of the artist and recipient in the processes of artistic communication. While the author's responsibility for the actual course of the artistic event declines, the activity of the recipient and her/his influence on the constructing their (author's and recipient's) work rise. It also means that artistic interaction may happen not only between the recipient/participant and the system of the piece (through the interface constructed by the artist) but between the interactors themselves and the interactor and the artist as well. Initiating such processes of dialogue becomes currently one of the most important qualities of the projects carried out by Rogala.

In one of the interviews given at the occasion of exhibiting *Electronic Garden* Rogala said among others, "A modern artist tries to re-define his role. Aesthetics transforms from the passive to the active. It is reflected in that aspect of my work which plans participation of more than person. My work does not exist without co-operation on the part of the people looking and listening." (Artner, 1996)

40. Lovers Leap, 1995

Ogród elektroniczny..., ze względu na jego związki z konkretnym miejscem, połączył w sobie cechy dzieła zrealizowanego w przestrzeni publicznej z właściwościami instalacji *in situ*. W realizacji tej Rogala zaakcentował ponownie rolę fizycznego ciała jako interfejsu w interakcji artystycznej, szczególnie w odniesieniu do prac, które są eksponowane w miejscu publicznym. Podkreślił także ogrom znaczenia – dla sytuacji współczesnej sztuki – zachodzących obecnie przeobrażeń w obrębie paradygmatu estetycznego, szczególnie tych, które dotyczą modelu sytuacji estetycznej, jak również wynikających zeń zmian roli oraz statusu artysty i odbiorcy w procesach komunikacji artystycznej. Zmniejszaniu się odpowiedzialności autora za przebieg wydarzenia artystycznego towarzyszy bowiem wzrost aktywności odbiorcy i powiększenie jego/jej wpływu na ostateczne ukonstytuowanie się wytworu ich wspólnej pracy. Oznacza to także, że interakcja artystyczna może dziś zachodzić nie tylko pomiędzy odbiorcą/uczestnikiem a systemem dzieła (poprzez konstruowany przez artystę interfejs), ale również pomiędzy samymi uczestnikami bądź pomiędzy nimi a artystą. Inicjowanie takich procesów dialogu staje się obecnie jednym z najważniejszych atrybutów projektów realizowanych przez Rogalę.

W jednym z wywiadów udzielonych przy okazji prezentacji *Electronic Garden...* Rogala powiedział między innymi: „Sądzę, iż współczesny artysta usiłuje dziś przedefiniować swoją rolę. Estetyka przeobraża się z pasywnej w aktywną. I to właśnie jest odzwierciedlone w tym aspekcie mojej realizacji, który jest związany z udziałem w niej innych osób. Moje dzieło nie istnieje bez współpracy ze strony widzów i słuchaczy". (Artner, 1996)

Electronic Garden... – tak samo jak *Lovers Leap* – również występuje w jeszcze jednej postaci, tym razem jako realizacja umieszczona w Internecie, na platformie WWW. Globalny kontekst, w którym dzieło to funkcjonuje, sprawił, iż pośród mówców znalazły się kolejne osoby, także związane z Chicago, ale tym razem w nie mniejszym stopniu obecne także w układzie międzynarodowym, jak na przykład Laurie Anderson.

W roku 1997 Mirosław Rogala podjął prace zmierzające do wystawienia w Muzeum Sztuki Współczesnej (MCA) w Chicago *Divided We Stand* – „interaktywnej symfonii medialnej w sześciu częściach z udziałem publiczności". Zasiadający w podzielonej na trzy części sali odbiorcy staną się w ramach tego projektu wielką orkiestrą wirtualną. Rozmieszczone w przestrzeni sali czujniki mają reagować na każdy ruch widzów, co sprawi, że ci ostatni będą mogli oddziaływać na strukturę dźwiękową dzieła, stając się przez

Similar to *Lovers Leap*, *Electronic Garden* also is produced in another form, as the Internet installation, as WWW pages. The global context has caused the fact that subsequent people, also having something in common with Chicago but being in the same time

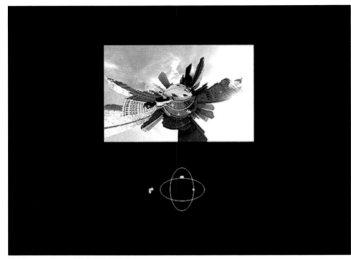

41. Lovers Leap CD-ROM, 1995

international people as Laurie Anderson appeared between the speakers.

In 1997 Rogala started working for exhibiting in the Museum of Contemporary Art in Chicago (MCA) *Divided We Stand*, "an interactive media symphony in six parts with the participation of the audience". Recipients, sitting in three parts of the room became a large virtual orchestra in this project. Sensors placed in the room would react to every move of the audience, so that they would be able influence the sound structure of the work and become its co-performers. Two of the six parts of the symphony would be performed in the above way. The visual sphere of the piece, i.e. image and text projections, remain the object of the interactive influence of the recipients as well. In the whole of the piece, participation of musicians, dancers and singers is also scheduled, besides the activity of the audience. The planned endeavor shows clearly to what extent the relationship between all participants of the aesthetic situation, became important to Rogala and to what extent the interactive audience may influence the shape of the work. In comparison to the previous works, which also demanded activity on the part of the viewers, the audience of *Divided We Stand* has a larger and subtler possibilities of participation.

Rogala is supported at the work on *Divided We Stand* by a whole group of co-operators: visual artists, musicians, programmers. It is by no means a new cha-

to jego współwykonawcami (dwie z sześciu części symfonii mają zostać wykonane w ten sposób). Przedmiotem interaktywnego wpływu odbiorców pozostaje również sfera wizualna dzieła: projekcje obrazów i tekstów. W całej realizacji obok aktywnej publiczności jest także przewidziany udział muzyków, tancerzy, śpiewaków. Planowane przedsięwzięcie pokazuje bardzo wyraźnie, jak ważne stały się dla Rogali związki zachodzące między wszystkimi uczestnikami sytuacji artystycznej, jak dalece interaktywna publiczność może wpływać na kształt jego dzieł. W porównaniu z dwoma poprzednimi realizacjami, również wymagającymi aktywnych zachowań odbiorców, publiczność w *Divided We Stand* ma mieć znacznie bardziej rozbudowane i subtelne możliwości partycypacji.

Nad projektem *Divided We Stand* Rogala pracuje z całym zespołem współpracowników: artystów wizualnych, muzyków, programistów. Nie jest to zupełnie nowy aspekt jego twórczości, artysta ten zawsze i chętnie podejmował współpracę z innymi, jednak w najnowszych realizacjach udział kreacyjny współpracowników jest coraz większy. I nie jest to wyłącznie rezultat rosnącego skomplikowania jego prac, lecz

racteristic of his work – he has always eagerly co-operated – but in the recent works the creative participation of co-operating people is even larger. It also is not merely a result of the growing complexity of his works, but also of developing attitudes of openness: besides the audience there exist people who participate in the creation of the works initiated, planned and directed by Rogala.

Complexity and technological complication of *Divided We Stand* do not allow for its immediate accomplishment. The artist gave it the form of museum art workshop, a sort of laboratory, in the scope of which, together with a group of co-operators, he carries out a subsequent element of the project and creates works, which has a status of an introduction, a prologue, or a sketch for the final 'proper' symphony. (It is unnecessary to add that the final version may have little in common with the planned piece). *Divided We Speak* exhibition – interactive art laboratory – showed from September to November 1997 in Chicago is a specific rehearsal, preparation for a full accomplishment of the above project. Works presented in the exhibition however are at the same time fully va-

42. Electronic Garden/NatuRealization, Washington Square Park, Chicago, Illinois, 1996

także rozwijającej się postawy otwarcia; nie tylko publiczność uczestniczy w kreacji dzieł inicjowanych, projektowanych i „dyrygowanych" przez Rogalę.

Złożoność i technologiczne skomplikowanie projektu *Divided We Stand* nie pozwalają na jego natychmiastową całościową realizację. Artysta nadał mu więc kształt swoistych muzealnych warsztatów artystycznych, laboratorium, w ramach którego wraz z grupą współpracowników realizuje kolejne elementy projektu, przeprowadza eksperymenty oraz kreuje dzieła, które posiadają swoisty status wstępu, prologu czy szkicu do „właściwej", ostatecznej realizacji zaplanowanej symfonii (nie muszę chyba dodawać, że jej końcowa postać może mało przypominać planowaną formę). Przedstawiona w MCA w Chicago (wrzesień - listopad 1997) wystawa *Divided We Speak* – interactive electronic art laboratory – jest takim właśnie swoistym przygotowaniem do realizacji wspomnianego wyżej projektu. Prace pokazywane w jej ramach są jednak zarazem w pełni wartościowymi realizacjami artystycznymi. Rogala wyciąga bowiem konsekwencje z przeobrażeń zachodzących w sztuce kilku ostatnich dekad, w wyniku których dzieło sztuki porzuca swoją przedmiotowość, stając się ostatecznie procesem. Artysta nadaje temu procesowi status laboratoryjny, wydobywając w ten sposób na plan pierwszy głęboką istotę tak pojmowanych zjawisk artystycznych.

Wystawa *Divided We Speak* składała się z dwóch części. Pierwsza to interaktywna, dynamiczna, pusta przestrzeń, w której zostały „rozmieszczone" śpiewane lub recytowane przez kilkoro wykonawców teksty. Odbiorca, wykorzystując specjalnie skonstruowane w tym celu przekaźniki/kontrolery (została tu wykorzystana komunikacja w podczerwieni), może aktywizować system (GAMS – Gesture And Media System) i „orkiestrując" przestrzeń, zbudować własną konkretyzację – montaż fragmentów poszczególnych tekstów (jest także przewidziana interakcja w płaszczyźnie wizualnej). Dzieło to jest swego rodzaju choreografią słów w przestrzeni, wobec której każdy odbiorca pełni funkcję performera-tancerza, pozwalającego potencjalności przybrać jedną z niezliczonych możliwych form. Poprzez ruch w monitorowanej przestrzeni i swoje psychiczne zaangażowanie odbiorca, aktywizując audio-sample, może przeżyć doświadczenie o niepowtarzalnym charakterze, przeprowadzić eksperyment, w wyniku którego stworzy on(a) własną „prywatną przestrzeń" w publicznej przestrzeni muzeum (Warren, 1997). Może również nawiązać swoisty dialog z innym odbiorcą, a ich współpraca potrafi przynieść rezultaty nieosiągalne dla pojedynczego interaktora. W ten sposób dzieło to odnosi się do jeszcze jednej antynomii mediów, które zbliżając ku sobie ludzi, równocześnie ich od siebie separują.

Na drugą część wystawy złożyły się trzy przestrzenne obiekty – podświetlone pojemniki, które kryją w sobie bardzo szczególne formy wizualne – skologramy (PHSColograms), zrealizowane dzięki połączeniu środków techniczno-wyrazowych fotografii, holografii, rzeźby i grafiki komputerowej. Tworzą one nie tylko iluzję wielowymiarowości, ale także wrażenie ruchu, który pojawia się w skologramach, gdy tylko my sami zaczniemy się przemieszczać w przestrzeni. Tak-

luable art works. Rogala uses up the transformations in art of the last decades, where the art work loses its physicality and becomes a process finally. The artist gives the laboratory status giving priority to the essence of the undertaken art phenomena.

Divided We Speak exhibition is composed of two parts. The first is interactive, dynamic empty space, where texts sung or spoken by several performers had been 'located'. Using specially designed transmitters/controllers (on ultra-violet rays) the recipient may activate the system (GAMS – Gesture And Media System) and directing the space s/he can build her/his own concretization – a montage of fragments of the texts. Visual interaction is also planned. The piece is a kind of choreography of words in space, where the user plays the role of performer or dancer thanks to whose actions the potential may take one of multiple possible forms. Through the movement in monitored space and her/his psychological involvement the user through activation of audio-samples may carry out an experiment. As a result s/he is meant to create her/his own 'private space' in a public space of a museum (Warren, 1997). S/he can also begin a dialogue with another interactor and their co-operation may bring results unreachable for an individual recipient. That is how the piece refers to another antinomy of media, which bringing people closer to each other, separating them simultaneously.

The second part of the exhibition was made of three spatial objects – lit up containers sheltering very exceptional visual forms, in other words PHScolograms, produced as a result of unification of photography, holography, sculpture and computer graphics technical and impression means. They give the illusion of three dimensionality and an impression of movement, which appears in PHScolograms when we start to move in space. These objects have their counterparts in the invisible universe of sounds. Moving with our hand drowned in an illusionary virtual space of a PHScologram we can direct various words and sounds recorded in it.

No doubt that *Divided We Speak* exhibition, as well as all the other similar presentations, compose indeed a specific laboratory, where Mirosław Rogala works on the following art projects. It is however also autonomic performance. Art understood as work in progress in all its stages presents various phenomena to us. Each of them, in a paradoxical way, is both a final, ready object and a continuous process of creative transformation.

The above described works represent aptly the present stage of development of Mirosław Rogala's art. A group of qualities which become presently the most important attributes of art employing media technology bring one's attention here:
– multimedia character of relationship multiplying relations between the recipient-interacting person and the work of art;
– interactivity, which makes the recipient interactor and makes him/her the responsible for the shape of experience and very frequently for the work of art itself;
– rising de-materialisation of the art work which fi-

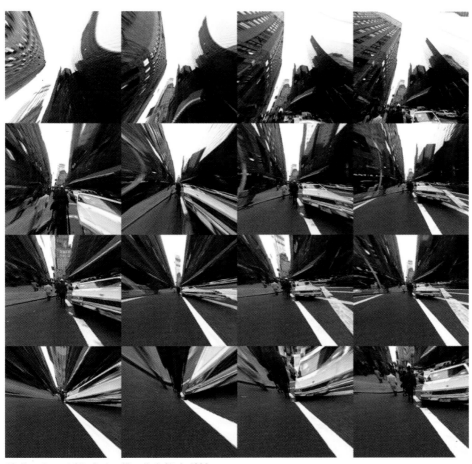

43. Transformed City Series (New York City), 1996

że i te obiekty mają swe przedłużenia w niewidzialnym świecie dźwięków. Za pomocą ruchów dłoni zanurzanych w iluzorycznej, wirtualnej przestrzeni skologramów możemy orkiestrować rozmaite powiązane z nimi słowa i dźwięki.

Nie ulega wątpliwości, że wystawa *Divided We Speak*, jak i wszystkie inne następujące po niej podobne prezentacje (*Divided We Sing*, 1999; *Divided We See*, 2001) mają istotnie charakter specyficznego laboratorium, w którym Mirosław Rogala pracuje nad kolejnymi projektami artystycznymi. Mają one jednak także charakter autonomicznego przedstawienia. Sztuka pojmowana jako *work in progress*, we wszystkich swych etapach, prezentuje nam bowiem fenomeny, z których każdy, w paradoksalny sposób, jest zarazem gotowym obiektem i niemającym kresu procesem kreatywnej transformacji.

Opisane wyżej dzieła doskonale reprezentują obecny stan rozwoju twórczości Mirosława Rogali. Zwra-

nally transforms into a dynamic, empty space, where an interactive performance by the interacting person takes place;

– tendency to use the interacting person's body as an interface;

– search for the possibilities of links between the individual experiences of many interacting people and making them mutually dependant on each other, with the simultaneous emphasis on their autonomy;

– rallying of the private space of experiencing of the work with the public space of its context.

Contemporary art in Rogala's approach becomes the space where the recipient recognises and defines (and sometimes transgresses) her/his individual and social identity in the dialogue with other interacting people.

© Ryszard W. Kluszczyński, 2000

ca w nich uwagę szereg właściwości, które stają się obecnie najważniejszymi atrybutami sztuki posługującej się technologiami medialnymi:

– multimedialność zwielokrotniająca związki odbiorcy-interaktora z doświadczanym dziełem;

– interaktywność, która czyni odbiorcę interaktorem i składa w jego ręce odpowiedzialność za kształt przeżycia-doświadczenia dzieła i – coraz częściej – także i za samo dzieło;

– postępująca dematerializacja dzieła, które ostatecznie przeobraża się w dynamiczną, pustą przestrzeń, w której odbywa się interaktywny performance w wykonaniu widza-interaktora;

– skłonność do traktowania ciała interaktora jako interfejsu;

– poszukiwanie możliwości powiązania indywidualnych doświadczeń wielu interaktorów i uzależnienia ich w ten sposób od siebie wzajemnie przy równoczesnym podtrzymywaniu ich autonomii;

– wiązanie prywatnej przestrzeni doświadczenia dzieła z publiczną przestrzenią jego kontekstu.

Współczesna sztuka staje się w ujęciu Rogali przestrzenią, w której odbiorca rozpoznaje i dookreśla (a czasem przekracza) w dialogu z innymi interaktorami swoją indywidualną i społeczną tożsamość.

© Ryszard W. Kluszczyński 2001

Tekst ten jest zmienioną i rozszerzoną wersją ostatniego rozdziału mojej książki *Obrazy na wolności. Studia z historii sztuk medialnych w Polsce*, Instytut Kultury, Warszawa 1998.

Bibliografia
Artner, A. G. 1996. *Artists and communities are collaborating to make Chicago a park place.* "Chicago Tribune", 23. 06.

Ascott, Roy. 1997. (red.) *Consciousness Reframed: art. and consciousness in the post-biological era.* Conference Proceedings, University of Wales College: Newport.

Christiansen, R. 1989. *Video Opus Stars 48 TV Sets.* "Chicago Tribune", 19. 10.

de Kerckhove, Derrick. 1996. *Powłoka kultury. Odkrywanie nowej elektronicznej rzeczywistości.* Przeł. Witold Sikorski i Piotr Nowakowski. Mikom: Warszawa.

Druckrey, Timothy. 1995. *Lavers Leap – Taking the Plunge: Points of Entry... Points of Departure.* Artintact 2. ZKM: Karlsruhe.

King, Elaine A. 1994. *Video as Universal Language. The Magical World of Miroslaw Rogala.* "Video + Electronic Art Projects". The Contemporary Arts Center Cincinati, Vol. 1, nr 2.

Kluszczyński, Ryszard W. 1997. *Awangarda. Rozważania teoretyczne.* Wydawnictwo Uniwersytetu Łódzkiego: Łódź.

Kluszczyński, Ryszard W. 1997a. *Sztuka mediów i sztuka multimediów, albo o dwóch złudnych analogiach.* "Exit", nr 2 (30).

Kluszczyński, Ryszard W. 1997b. *(Audio)Visual Labyrinthe. Non-Linear Discourses in Linear Media.* W: Katalog der 43. Internationalen Kurzfilmtage Oberhausen, red. B. Konopatzki, A. Kroenung, I. Traub. Oberhausen.

Kluszczyński, Ryszard W. 1999. *Film – wideo – multimedia. Sztuka ruchomego obrazu w erze elektronicznej* [rozdział *Wideo jako intermedium*]. Instytut Kultury: Warszawa.

Rogala, Mirosław. 1995. *Prace multimedialne.* Galeria Arsenał: Białystok.

Shanken, Eddie A.. 1997. *Divided We Stand: Interactive Art. and the Limits of Freedom* [niepublikowany rękopis].

Voedisch, L. 1989. *With Nature. Artist Creates a New Electronic Landscape.* "Chicago Sun – Times", 08. 10.

Warren Lynne. 1997. *Divided We Speak.* Museum of Contemporary Art.: Chicago.

Wark, Mackenzie. 1995. *Suck on This, Planet of Noise.* W: Simon Penny (red.) *Critical Issues in Electronic Media.* State University of New York Press: New York.

This text is a reworked and extended version of a chapter of my book *Images at Liberty. Studies in the History of Media Art in Poland*, Instytut Kultury, Warsaw 1998.

Bibliography
Artner, A. G. 1996. *Artists and communities are collaborating to make Chicago a park place.* "Chicago Tribune", 23. 06.

Ascott, Roy. 1997. (ed.) *Consciousness Reframed: art. and consciousness in the post-biological era.* Conference Proceedings, University of Wales College: Newport.

Christiansen, R. 1989. *Video Opus Stars 48 TV Sets.* "Chicago Tribune", 19. 10.

de Kerckhove, Derrick. 1995. *The Skin of Culture.* Somerville House Books Ltd: Toronto.

Druckrey, Timothy. 1995. *Lovers Leap – Taking the Plunge: Points of Entry... Points of Departure.* Artintact 2. ZKM: Karlsruhe.

King, Elaine A. 1994. *Video as Universal Language. The Magical World of Miroslaw Rogala.* "Video + Electronic Art Projects". The Contemporary Arts Center Cincinnati, Vol. 1, no 2.

Kluszczyński, Ryszard W. 1997. *Awangarda. Rozważania teoretyczne (The Avant-Garde. An Theoretical Approach).* Wydawnictwo Uniwersytetu Łódzkiego: Łódź.

Kluszczyński, Ryszard W. 1997a. *Art of the Media and Multimedia, the Two Illusory Analogies.* "Exit", no 2 (30).

Kluszczyński, Ryszard W. 1997b. *(Audio)Visual Labyrinths. Non-Linear Discourses in Linear Media.* In: Katalog der 43. Internationalen Kurzfilmtage Oberhausen, red. B. Konopatzki, A. Kroenung, I. Traub. Oberhausen.

Kluszczyński, Ryszard W. 1999. *Film – wideo – multimedia. Sztuka ruchomego obrazu w erze elektronicznej (Film – video – multimedia. The art of moving image in the electronic age;* chapter *Video Art as Intermedium*). Instytut Kultury: Warszawa.

Rogala, Mirosław. 1995. *Prace multimedialne (Multimedia works).* Galeria Arsenał: Białystok.

Shanken, Eddie A.. 1997. *Divided We Stand: Interactive Art. and the Limits of Freedom* [unpublished manuscript].

Voedisch, L. 1989. *With Nature. Artist Creates a New Electronic Landscape.* "Chicago Sun – Times", 08. 10.

Warren Lynne. 1997. *Divided We Speak.* Museum of Contemporary Art.: Chicago.

Wark, Mackenzie. 1995. *Suck on This, Planet of Noise.* In: Simon Penny (ed.) *Critical Issues in Electronic Media.* State University of New York Press: New York.

Ryszard W. Kluszczyński
Professor, Media and Cultural Studies
University of Łódź, Poland
Head of Media Department
Media Art Curator
Centre for Contemporary Art – Ujazdowski Castle, Warsaw

44. Divided We Sing, Pittsburgh Center for the Arts, 1999

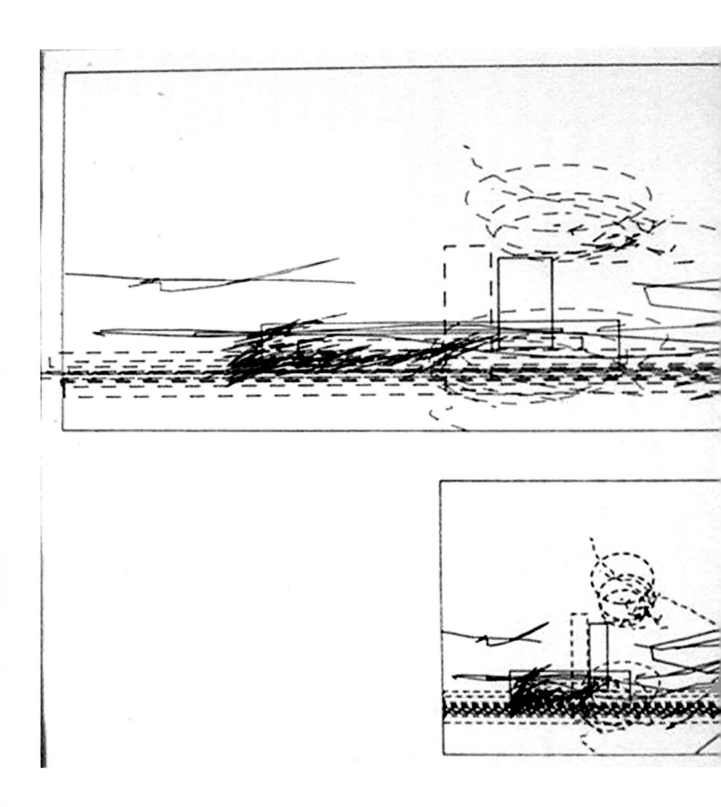

45. rysunek komputerowy / computer drawing, 1982

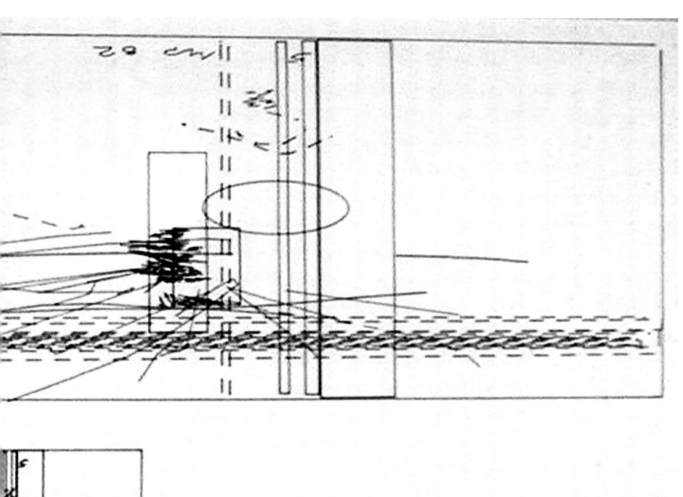

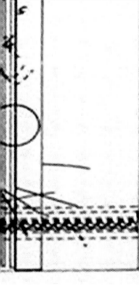

46. rysunek komputerowy / computer drawing, 1982

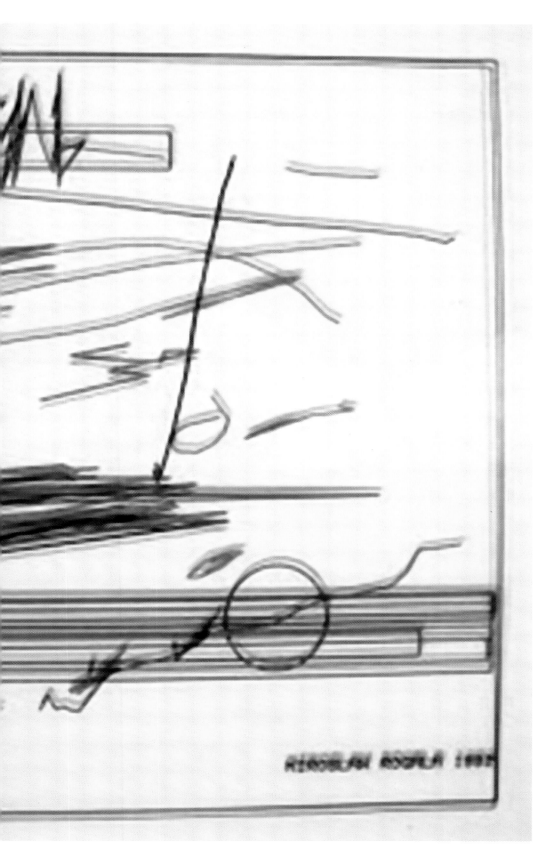

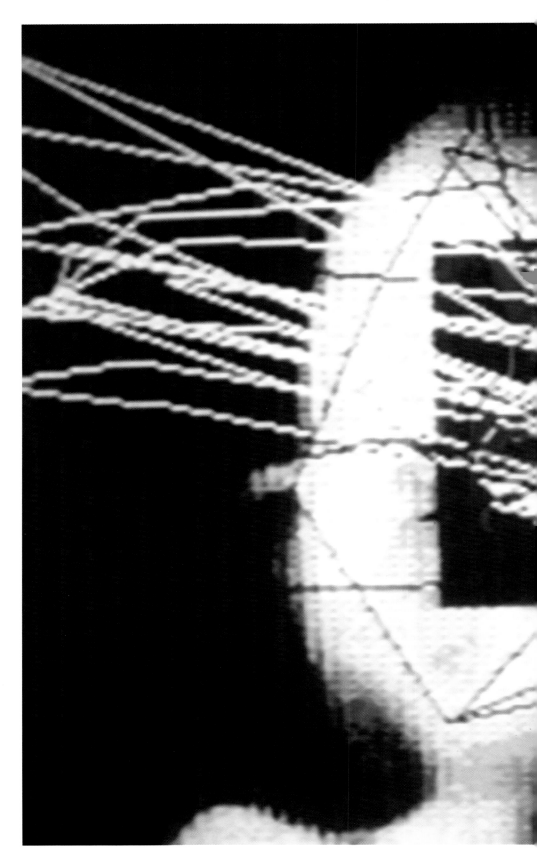

47. rysunek komputerowy / computer drawing, 1987

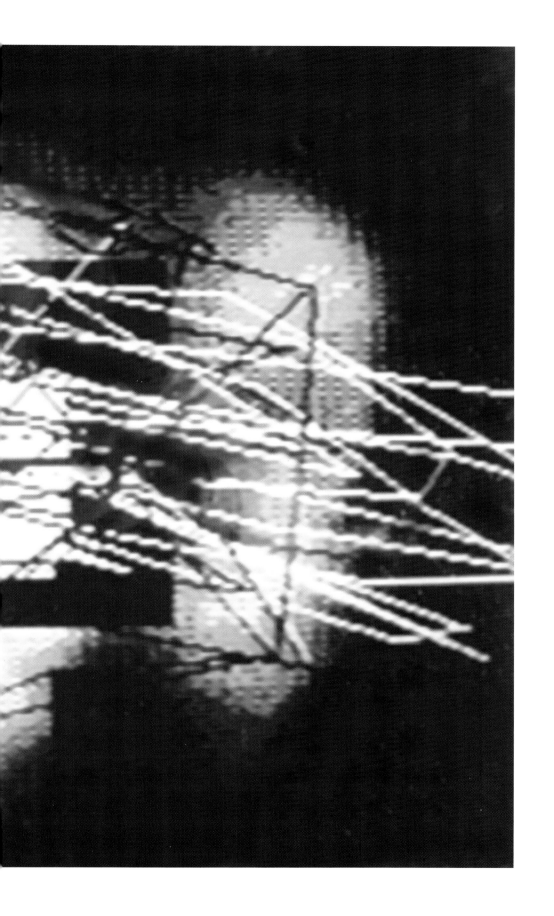

Roy Ascott

ON NIE TONIE, ON NAS POZDRAWIA: TECHNOLOGICZNE GESTY WOLNOŚCI

Na tradycyjnej pocztówce znad morza widać parę wczasowiczów, wygodnie rozłożonych na leżakach, którzy przyglądają się samotnemu pływakowi, unoszonemu przez morskie fale. Nie mają żadnej pewności, czy pływak wymachuje ramionami by ich pozdrowić, czy też może tonie. Obserwator-optymista pozdrowi go ruchem ręki, zakładając, być może nieco na wyrost, że wszystko jest w porządku, natomiast pesymista wezwie ratownika. Relacje pomiędzy odbiorcami a sztuką interaktywną mają podobny charakter. Wielu wymachuje ramionami, radośnie witając różową przyszłość kulturowego współuczestnictwa i doskonalenia technologii, w oczach innych zaś toniemy w cyberprzestrzeni, zalewani falami Internetu. Już na samym początku muszę przyznać, że sam jestem optymistą i choć mój ogląd sytuacji ma silne podstawy w wiedzy i informacji, jednak do tak pozytywnego nastawienia do przyszłości skłania mnie przede wszystkim kreatywne, pełne wyobraźni podejście do nowych technologii reprezentowane przez moich kolegów, artystów. Artyści odgrywają ważną funkcję, która polega na tym, by w naszej kulturowej świadomości zasiać ziarna pomysłów, percepcji i zachowań, niosących potencjał istotnych i cennych przemian społecznych i psychicznych.

Jako podstawową metaforę dla tego eseju wybrałem pływaka, który albo tonie, albo nas pozdrawia. Chodziło mi o to, by na dość abstrakcyjnym i uogólnionym poziomie podkreślić wartość nieskrępowanego gestu w ramach interakcji między człowiekiem a systemem komputerowym. Z drugiej strony zależało mi na tym, by przedstawić psychologiczną i funkcjonalną rolę gestu w konkretnych sytuacjach, zaczerpniętych z praktyki artystycznej. Moje uwagi obejmują jeszcze trzeci element, cechę, której obecnie brak w naszej interaktywnej technologii, czyli kwestię inteligencji emocjonalnej w systemach stworzonych sztucznie, a więc, mówiąc inaczej, kwestię komputera, który nas pozdrawia. Mówiąc najprościej, twierdzę, że dopóki komputer nie będzie umiał odwzajemnić naszego pozdrowienia, czyli do nas pomachać, nie będzie również tworem inteligentnym w żadnym znaczeniu, które zakładałoby jego niezależne funkcjonowanie. Podobnie, dopóki komputer nie będzie potrafił odwzajemnić naszego spojrzenia, nie będzie również mógł rościć sobie jakichkolwiek pretensji do autonomii poznawczej. Artyści nie budują komputerów, jednak badając rolę gestu, nieskrępowanego interfejsu, poprzez uwalnianie systemów interaktywnych spod tyranii klawiatury, joysticka i myszki, otwierają technoetyczną przestrzeń, z której może wyłonić się bardziej symbiotyczny związek między nami samymi a systemami komputerowymi. Tak naprawdę artyści uczestniczą tym samym w próbie generalnej obietnicy wolności, w wytyczaniu zakresu odpowiedzialności, szans i ograniczeń,

WAVING NOT DROWNING: TECHNOLOGICAL GESTURES OF FREEDOM.

A traditional seaside post card has a pair of holidaymakers in their deckchairs watching a lone bather bobbing up and down in the ocean waves. They are not sure whether he is waving or drowning. The optimist waves back, perhaps rather careless in the assumption that all is well, the pessimist alerts the lifeguard. The public's relationship to interactive media provides a similar narrative, with many waving at a rosy future of cultural participation and technological betterment, and others who see us drowning in cyberspace, submerged under the surf of the Internet. I have to say from the start that I am an optimist in all of this. and while my understanding is informed by analysis and careful reflection, it is the creativity and imagination applied to new technology by my fellow artists which makes me so positive about the future. Artists have the important function of planting in our cultural consciousness the seeds of ideas, perceptions and behaviours that have the capacity to grow into social and psychic transformations of significant worth.

I have chosen waving as the defining metaphor of this essay in order to emphasise, on the one hand, at a rather abstract and general level, the value of unencumbered gesture in human interaction with computational systems, and on the other hand, to epitomise the psychological and functional importance of gesture in specific instances of artistic practice. There is a third element to my comments, embodying a quality currently missing in our interactive technology, that is the issue of emotional intelligence in artificial systems, or to coin a phrase, the waving computer. My thesis, simply put, is that until the computer can wave back at us, it will never become intelligent in any independent sense. By the same token, until it can return our gaze, it will lack any pretension to cognitive auto-

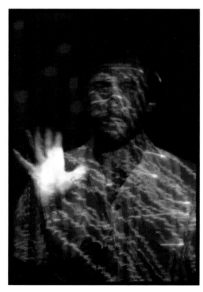

49. Laser Blue Portrait, 1981

jakie niesie ze sobą społeczeństwo technologiczne. Wśród artystów, którzy wnoszą swój wkład w taki stan sztuki, szczególnie gdy chodzi o skalę interakcji zachodzących na forum publicznym, postacią godną uwagi jest Mirosław Rogala, którego retrospektywnej wystawie towarzyszy niniejszy esej.

Nasze rozumienie repertuaru gestów, postrzeganego jako pełny aparat sygnalizacyjny ludzkiego organizmu, będzie jednak niepełne bez identyfikacji otoczenia, w którym ma zachodzić interakcja między świadomymi organizmami żywymi (czyli nami samymi) a sztucznymi systemami myślącymi. W tym właśnie momencie chciałbym wprowadzić koncepcję trzech VR: rzeczywistości wirtualnej *(Virtual Reality)*, rzeczywistości sprawdzalnej *(Validated Reality)* oraz rzeczywistości roślinnej *(Vegetal Reality)*.

Gdy mówię o rzeczywistości wirtualnej, chodzi mi o znacznie więcej niż tylko konkretną technologię. Poza technologią rozszerzającą pole postrzeganej

nomy. Artists do not build computers, but by investigating the role of gesture, of the unencumbered interface, in freeing interactive systems from the tyranny of the keyboard, joystick and mouse, they are opening up the technoetic space from which a more symbiotic relationship between ourselves and computational systems can emerge. Actually, they are rehearsing the promise of freedom within the responsibilities, opportunities and constraints of a technological society. Notable amongst the artists who contribute to this state of the art, particularly on the scale of public interaction, is Miroslaw Rogala, in the context of whose retrospective exhibition this essay is written.

Our understanding of the full gestural repertoire, which we can see as the total signalling apparatus of the human body, is however incomplete until we identify the environment in which interaction between conscious living organisms (us) and artificial

50. Divided We Sing, Pittsburgh Center for the Arts, 1999

rzeczywistości *(Augmented Reality)*, która umożliwia jednoczesną obserwację zarówno wewnętrznej dynamiki, jak i zewnętrznych właściwości przedmiotu zainteresowania (co znajduje swój bodaj najdramatyczniejszy wyraz w przypadku chirurga stojącego przy stole operacyjnym), rzeczywistość wirtualna obejmuje całą ontologię obecności zdalnej (teleprezencji), zanurzenia w bodźcach sensorycznych, nie-

thinking systems will take place. This is the point at which I would like to introduce the notion of the 3 VRs: Virtual Reality, Validated Reality and Vegetal Reality.

By Virtual Reality I am referring to much more than a singular technology. Apart from Augmented Reality technology which allows the viewer to see simultaneously both the internal dynamics and the

materialnej łączności, która umożliwia konstruowanie nowych światów, całkowicie wyzwolonych z przyziemnych ograniczeń fizycznych. Choć na pierwszy rzut oka nieznajoma i egzotyczna, trójwymiarowa cyberprzestrzeń jest dziś codzienną cechą kultury Zachodu i powoduje, że w codziennym życiu oczekujemy zupełnie nowych form rozrywki, oświaty, handlu, spotkań towarzyskich, w przyszłości zaś bez wątpienia również nowych form organizacji politycznych oraz reprezentacji demokratycznej. Niezależnie od tego, jak sprawa się przedstawia lub będzie przedstawiała w przyszłości, rzeczywistość wirtualna zmienia nasz sposób postrzegania samych siebie, nasze zachowania i otoczenie, w jakim pragniemy przebywać.

Rzeczywistość sprawdzalną (*Validated Reality*) wszyscy znamy aż za dobrze. Wiliam Blake opisywał ją jako sen Newtona. Jest to ortodoksyjny świat przyczynowo-skutkowego „zdrowego rozsądku", rzeczywistość, na którą godzimy się na wczesnym etapie życia, wskutek ustawicznego powtarzania jej aksjomatów. Rzeczywistość sprawdzalna napotyka trudności wobec oglądu świata reprezentowanego przez fizykę kwantową, wschodni mistycyzm czy też liczne wzajemnie sprzeczne modele świadomości, tworzone przez współczesnych naukowców, reprezentujących szeroki wachlarz różnych dyscyplin, próbujących przerzucić most zrozumienia nad luką, która uniemożliwia nam pełne pojęcie tego misterium. Rzeczywistość sprawdzalna wzdraga się przed konsekwencjami nanotechnologii i napotyka na ogromne trudności, starając się pogodzić z modelowaniem genetycznym oraz z poczynaniami biotechnologii, wymuszającymi ponowne zdefiniowanie pojęcia „natura". Mówiąc najkrócej, rzeczywistość sprawdzalna to rzeczywistość zatwierdzona, w której wąskich granicach zamyka się sens tego, czym jesteśmy i czym moglibyśmy być. Niemniej ta właśnie rzeczywistość steruje współrzędnymi opisującymi nasze codzienne życie, dyktuje nam protokół zachowań i tworzy złudzenie spójności wszechświata. To właśnie rzeczywistość sprawdzalna stworzyła obraz natury jako szeregu przedmiotów umieszczonych w przestrzeni euklidesowej, miast postrzegać ją jako dynamiczną sieć procesów i relacji. Rzeczywistość sprawdzalna – nie sposób bez niej wyjść z domu!

Rzeczywistość roślinna, trzeci wątek w naszym wschodzącym świecie, to rzeczywistość dla praktyki Zachodu dość egzotyczna. Można ją zrozumieć w kontekście technoetyki. Technoetyka to termin, który ukułem dla opisania dziedziny badań i praktyki oczekującej, że technologia wywoła zmiany w świadomości. W tym wypadku chodzi o technologię roślinną, pewien kanon wiedzy i dogłębnego poznania, który w swych ludzkich zastosowaniach ma charakter archaiczny, znany nam przede wszystkim poprzez pryzmat praktyk szamańskich i w najwyższym stop-

external features of an object of study (perhaps most dramatically demonstrated at the surgeon's operating table), VR encompasses a whole ontology of telepresence, of sensory immersion, and immaterial connectivity, which affords the construction of new worlds completely liberated from the constrains of mundane physics. While at first unfamiliar and exotic, 3Dcyberspace is now a common feature of Western culture, and leads to expectations in daily life of completely new forms of entertainment, education, commerce, social gathering, and eventually no doubt, political organisation and democratic representation. Whatever is or will become the case, VR changes the way we view ourselves, the manner of our comportation, and environments we wish to inhabit.

Validated Reality is all too familiar to us all. It is what William Blake described as Newton's sleep. It is the orthodox universe of causal "common sense", a reality whose consensus is achieved early in our lives by the constant repetition of its axioms. Validated Reality finds it hard to accept the world views of quantum physics, eastern mysticism, or the many conflicting models of consciousness generated by contemporary scientists, across a wide range of disciplines, in their attempts to bridge the explanatory gap that prevents our understanding of this ultimate mysterium. Validated Reality balks at the implications of nanotechnology, and has great difficulty in coming to terms with genetic modelling and the scope of biotechnics in redefining Nature. In short, Validated Reality is authorised reality, whose narrow confines delimit the sense of what we are or what we could be. Nevertheless it controls the co-ordinates of our daily life, dictates the protocols of our behaviour, and provides an illusion of coherence in a contingent universe. It has been Validated Reality, which has created Nature as an array of objects set in Euclidean space, rather than a dynamic network of processes and relationships. Validated Reality – you can't leave home without it!

Vegetal Reality, the third strand in our emerging universe, is quite unfamiliar to Western praxis. Ve-

51-52. Lovers Leap, Multimediale 4, ZKM, Karlsruhe, Germany, 1995

getal Reality can be understood in the context of technoetics. Technoetics is the word I have coined to describe that field of research and practice which looks to the transformation of consciousness by

niu odległy od rzeczywistości sprawdzalnej, na której zasadza się medycyna Zachodu. W moim rozumieniu właśnie przez rzeczywistość roślinną, oferowaną przez rośliny takie jak *ayahuasca (banisteropsis caapi)*, w powiązaniu z systemem takim, jakim jest Internet, będziemy wędrowali poprzez kosmiczną świadomość, której jesteśmy częścią, a być może również ją zmieniali. Technologia roślin wpływających na psychikę człowieka w powiązaniu z technologią mediów interaktywnych stworzy w końcu cyberbotanikę. Cyberbotanika, jako obszar badań i zastosowań, obejmie szeroki wachlarz działań oraz dociekań, dotyczących właściwości i potencjału sztucznych form życia, w ramach cyber- i nanoekologii, z drugiej strony zaś będzie zajmować się technoetycznym wymiarem świadomości i poznania, indukowanego przez rośliny takie jak *ayahuasca* oraz inne wytwory przyrody sprzyjające transformacjom.

Stanąć w punkcie, w którym zbiegają się wszystkie te trzy rzeczywistości, to zająć miejsce w nurcie ewolucji, w której możemy teraz uczestniczyć w sposób bardziej aktywny i twórczy. Owe trzy rzeczywistości tworzą nasz wschodzący świat, który podobnie jak nasza macierzysta planeta, rozpoczyna się swoistym *Big Bangiem*. To właśnie ów BANG, złożony z Bitów, Atomów, Neuronów i Genów tworzy substrat przyszłej konstrukcji sztuki i architektury oraz wpływa na charakter i kształt narzędzi i produktów, które będą służyły podtrzymaniu naszego codziennego życia. W ciągu ostatnich dwudziestu lat obserwujemy, jak fuzja „suchych" systemów cyfrowych z „wilgotnymi" systemami żywymi daje w rezultacie coś, co określam mianem *Moistmedia*. Uważam, że właśnie owe „media wilgotne" będą przesądzały o wszystkim, co w przyszłości dziać się będzie w świecie sztuki i inżynierii. Przyszły kształt sztuki będzie zależał od strategii przyjętej wobec mediów interaktywnych, które tworzymy dziś. Dlatego właśnie tak ważne i cenne są wszelkie badania i starania, które mogłyby przybliżyć nas do stworzenia komputera wyposażonego w emocje, komputera, który myśli i czuje (bez czego prawdziwa inteligencja jest w praktyce bezużyteczna), komputera, który nam pomacha, odpowiadając na nasze pozdrowienie. Dlatego właśnie gest staje się kwestią zasadniczą i dlatego właśnie mają obecnie szczególne znaczenie technologiczne dzieła sztuki, jak instalacja, performance, environment, które polegają na eksploracji i wykorzystaniu gestu, dla rozróżnienia między tymi, którzy nas pozdrawiają, a tymi, którzy toną,.

Wszyscy dobrze znamy dialektykę wiążącą to, co rzeczywiste, z tym, co wirtualne, czy też to, co realne, z tym, co sztuczne, jak uparcie zwykliśmy mówić mimo szybkiego zanikania wszelkich różnic pomiędzy tymi stanami. Do natury podchodzimy w kategoriach sztuczności, natomiast to, co sztuczne, traktujemy całkiem naturalnie. Współpraca między systemami naturalnymi i sztucznymi przebiega niemal bezszmerowo; „protezy" umysłowe i fizyczne stają się integralną częścią naszej istoty. Znane jest nam również pojęcie interprzestrzeni, miejsca na skraju sieci komputerowej, gdzie spotykają się obie te rzeczywistości. Wiemy, że jest to domena, która

technology. In this case, it is plant technology, which is involved, a canon of knowledge and insight, which is archaic in its human application, known to us principally through the practice of shamans, and distant in the extreme from the Validated Reality of western medicine. As I see it, it will be through Vegetal Reality, conferred by plants such as the ayahuasca (banisteriopsis caapi), combined with systems such as the Net, that we shall navigate, and perhaps transform, the cosmic consciousness of which we are a part. The technology of psychoactive plants aligned with the technology of interactive media will come to constitute a kind of cyberbotany. Cyberbotany as a field of research and application will cover a wide spectrum of activity and investigation into the properties and potential of artificial life forms within the cyber and nano ecologies, on the one hand, and into the technoetic dimensions of consciousness and cognition induced by such plants as the ayahuasca and other transformative products of nature.

To stand at the confluence of these three VRs is to take a place in the stream of evolution, in which we can now become, more participative and formative. These three realities constitute our emerging universe, one that, like our planetary point of origin, has its own Big Bang. It is the impact of this B.A.N.G., constituted of Bits, Atoms, Neurons, and Genes, which produces the new substrate of future construction in art and architecture, as well as engineering the nature and form of the tools and products that will sustain our everyday life. Over the past twenty years we have seen how dry digital systems are fusing with wet biological living systems to produce what I call Moistmedia. I take the view that this Moistmedia will inform of all our future developments in art and engineering. The way this work develops in the future depends on the strategies towards interactive media that we create now. This is why all investigation which might lead us towards creating the emotional computer, the computer that thinks and feels (without which real intelligence is inoperable), the computer that waves back at us, is valuable and important. Thus gesture becomes central to such investigation, and those technological art works – installations, performances, environments – which explore and exploit gesture, that is who are waving not drowning, have particular relevance at this time.

We are all familiar with the dialectic between the actual and the virtual, or the real and the artificial, as we persist in calling it, even though any kind of differentiation between these states is fast disappearing. We address nature in terms of artifice and treat the artificial quite naturally. The interplay of natural and artificial systems is becoming quite seamless, just as our mental and physical prosthesis are integral to our being. We are familiar also with the notion of interspace, the place at the edge of the net where these two realities come together. We know that it constitutes a domain, which presents enormous problems and wonderful opportunities for architects and urban planners. We know too the

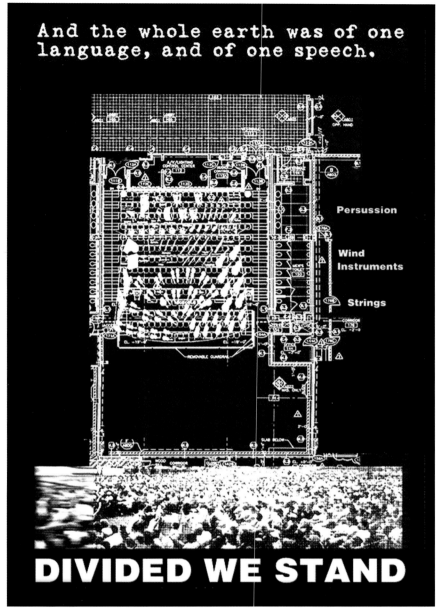

53. Divided We Stand, An Audience, 1997

powoduje ogromne problemy, a jednocześnie ofe-
ruje ogrom szans architektom i urbanistom. Wiemy
również, jakie pytania dotyczące naszej własnej tożsamości zaczynamy stawiać, gdy zdajemy sobie
sprawę z tego, że możemy ulec „rozproszeniu" w Internecie. Dziś, z nastaniem cyberbotaniki, musimy
do tych kwestii dołączyć technologię umysłu, która
wywoła nowe, technoetyczne stany świadomości.
Wiedzie nas to do rozważenia scenariusza bytu, który
jest nie-zwyczajny, nie-lokalny i nie-linearny, tym samym łącząc w sobie trzy podstawowe cechy kultury
dwudziestego pierwszego wieku: świadomość, fizykę kwantową oraz media inter/psychoaktywne.

questions of our own identity which are raised when
we find that we can be distributed across the Net.
Now, with cyberbotany, we have to bring to these
issues the technology of mind, which will induce
new, technoetic states of consciousness. This leads
us to consider a scenario of being which is non-or-
dinary, non-local, and non-linear, thereby fusing the
three principle features of 21st century culture: consciousness, quantum physics, and interactive/psy-
choactive media.
I would be trespassing far from my area of experti-
se to try to argue philosophically in any professio-
nal sense for these ideas, but I think it appropriate

Podjęcie filozoficznej argumentacji wspierającej te koncepcje oznaczałoby dla mnie zapuszczenie się daleko poza obszar mi znajomy, jednak uważam za stosowne uznanie znaczenia, jakie dla cyberkultury ma gałąź filozofii znana jako konstruktywizm radykalny, jeśli chodzi o budowanie estetycznej formuły sztuki interaktywnej, w szczególności zaś sztuki działającej na forum publicznym. Główny kierunek konstruktywizmu radykalnego określił Heinz von Foerster, cybernetyk i biomatematyk, w swym wykładzie z 1973 roku, zatytułowanym *O konstruowaniu rzeczywistości*. Wykazał wówczas, w jaki sposób otoczenie takie, jakim je odbieramy, jest w istocie tworzone przez nas samych, opisując neuropsychologiczny mechanizm takiej percepcji oraz etycznych i estetycznych implikacji takich konstruktów. Artyści pracujący dziś w cyberprzestrzeni, w przyszłości zaś w owych „mediach wilgotnych", wnoszą własny wkład w tę perspektywę, tworząc światy, w których konstruowanie i definiowanie widz może się czynnie zaangażować oraz w których możliwa jest restrukturyzacja i wzmocnienie percepcji. W tym kontekście pragnę również zauważyć, że wielu artystów działających w omawianym przeze mnie obszarze ceni sobie filozoficzny aspekt swojej pracy oraz to, w jaki sposób przemawia on do umysłu, równie wysoko, jak jej walory czysto wizualne czy estetyczne.

Moim zdaniem u podstaw wszystkich tych zjawisk leży kwestia podwójnej świadomości: być częścią tłumu, jednocześnie pozostając w pełni sobą; wnosić swą obecność jako wkład w tożsamość grupy, jednocześnie zachowując swą indywidualną swobodę. Sądzę, że na tym właśnie polega „podzielona jedność" („*divided standing*") w konstruktywnym sensie tego sformułowania, zaproponowanym przez Rogalę. Podwójna świadomość polega na tym, by znać swoją rolę w ramach grupy, jej działań, przyczyn i reakcji, jednocześnie uznając wpływ tej zbiorowej świadomości na swoją własną, bezpośrednią wrażliwość. Podwójna świadomość oznacza jednoczesną obecność tu i gdzie indziej, w tym ciele i w ciele bliźniego, o tej właśnie tożsamości lub innej, byt pojedynczy i podzielony jednocześnie. Jest to zarówno machanie do drugiego człowieka, jak i bycie w ten sposób pozdrawianym, w otoczeniu nacechowanym generatywną kreatywnością. Jest to świadomość, która przenika nową sztukę mediów i znajduje swój szczególny wyraz w najnowszych pracach Mirosława Rogali, w których swoboda gestu i gesty swobody ściśle się ze sobą splatają w interakcjach, w których wiemy na pewno, że chodzi o pomachanie, a nie o to, że ktoś tonie.

©Roy Ascott, lipiec 2000 roku

to recognise the relevance to cyberculture of that branch of philosophy known as Radical Constructivism in formulating the aesthetic of interactive art, and particularly art at work at the level of a the public audience. The main thrust of Radical Constructivism was expressed by the cybernetician and biomathematician Heinz von Foerster in his classic 1973 lecture *On Constructing a Reality*, in which he showed how the environment, as we perceive it, is our invention, describing the neurophysiological mechanisms of these perceptions and the ethical and aesthetic implications of these constructs. Artists working now in cyberspace and eventually with moistmedia contribute to this perspective by creating worlds in whose construction and definition the viewer can be actively involved, and in which perception can be restructured and amplified. The point I wish to make also, in this context, is that many artists in the field I am discussing, value the philosophical aspect of their work, and its appeal to the mind, as much as the value of its purely visual or aesthetic qualities.

At the basis of all this, in my view, is the question of double consciousness: to be a part of a crowd but remain integrally oneself; to contribute by one's presence to the identity of a group while maintaining one's individual freedom. I presume this is what it is to be standing divided, in Rogala's constructive sense. Double consciousness is to know what part you play in a group's ensemble of actions, causations and responses, while recognising the impact of this collective consciousness on your immediate sensibility. Double consciousness is to be both here and elsewhere, in this body and another's, with this identity and some others, singular and divided, at one and the same time. It is both waving to and being waved at in an environment of generative creativity. It is a consciousness which pervades new media art, and finds particular expression in the recent work of Miroslaw Rogala, in which freedom of gesture and gestures of freedom are entwined, and in interaction with which we are clear that waving not drowning is the name of the game.

© Roy Ascott, July 2000

Roy Ascott
Professor, University of Wales College, Newport, Great Britain
Director of the Centre for Advanced Inquiry in the Interactive Art

Sean Cubitt

MIROSŁAW ROGALA: PUBLICZNOŚĆ, *PUBLICITY*, PUBLIKACJA

Historia prywatności

Czym jest wolność? Dla tych krytyków, którzy ostatnie stulecie określają mianem wieku Ameryki, wolność to zarówno święcąca tryumfy ideologia północnoamerykańskiego kapitalizmu, jak i niezwykle złożona zasada filozoficzna. Dla Mirosława Rogali, który przebył drogę wiodącą z przedsolidarnościowej Polski aż na środkowy zachód Stanów Zjednoczonych, ojczyzny Emmy Goldman i ery radykalizmu, owa złożoność stanowiła przedmiot zmagań życiowych i artystycznych przez ponad dwadzieścia pięć lat uprawiania interaktywnej muzyki, performance'u i prac wizualnych. W serii publicznych zakrojonych na dużą skalę interaktywnych instalacji opartych na wykorzystaniu komputerów, stworzonych w latach dziewięćdziesiątych, Rogala doprowadził te doświadczenia do ekstremum, dochodząc tam, gdzie kwestie praw i obowiązków, wolności i odpowiedzialności zostały postawione w sposób podważający naszą koncepcję wolności, podczas gdy niepewnie, ostrożnie, stawiamy krok ku przyszłości.

Problem związany z wolnością tkwi w jej wieloznaczności, w szczególności zaś w rozziewie między pojmowaniem wolności w filozofii, polityce i ekonomii. Gdy blok sowiecki na najwyższym piedestale stawiał cel zapewnienia pokoju, kraje NATO jednoczyły się pod sztandarami wolności. W latach zimnej wojny żaden z tych oficjalnych celów nie był w pełni wiarygodny. Ów pokój zbyt często oznaczał działania Stasi, tamta zaś wolność zbyt często sprowadzała się do wolnorynkowej gospodarki kapitalizmu i jej skłonności do tworzenia monopoli. Jednakże zachodnia wiara w wolność tkwiła korzeniami w dwustuletniej tradycji filozoficznej, sięgającej, poprzez Hegla i Kanta, francuskiego i szkockiego osiemnastowiecznego Oświecenia. Tradycja ta powstała w obliczu nowego społecznego zjawiska, którym była jednostka, a które pojawiło się, gdy kapitał kupiecki zmierzał ku rewolucji przemysłowej. Wyrafinowane instytucje własności osobistej, oraz, co ogromnie ważne dla sztuki i artystów, własności intelektualnej i praw autorskich, wymagały udzielenia filozoficznej odpowiedzi na pytanie o naturę osoby i o wartości, które opisują relacje między osobami.

Pod pewnymi względami starsza, feudalna kultura była bliższa czystemu memetyzmowi. Koncepcja memu, formalnie opisana przez biologa Richarda Dawkinsa, mówi o tym, że pewne koncepcje rozprzestrzeniają się w populacji w sposób podobny do wirusów. Koncepcje takie, jak monoteizm, heliocentryzm czy grzech pierworodny zdają się żyć własnym życiem, wykorzystując nasze umysły jako nosicieli, ale służąc nie naszemu dobru, lecz własnemu trwaniu. Choć to antyspołeczne podejście do źródeł i rozprzestrzeniania się ideologii niemal wcale nie

MIROSLAW ROGALA: PUBLIC, PUBLICITY, PUBLICATION

The History of Privacy

What is freedom? For those critics who refer to the last hundred years as the American century, it is both the triumphant ideology of North Atlantic capitalism and a philosophical principle of extraordinary complexity. As one who traveled from the pre-Solidarnosc Poland to the mid-West of the USA, home of Emma Goldman and a century of radicalism, Rogala has negotiated that complexity in his life and his art over twenty-five years of interactive music, performance and artworks. In the series of large-scale public, interactive, computer-driven installations produced during the 1990s Rogala has brought this experience to a keen edge, where questions of right and duty, liberty and responsibility are posed in ways that challenge our conceptions of freedom as we step, gingerly, into the future.

The problem with freedom is its ambiguity, and especially the gap between philosophical, political and economic conceptions of freedom. While the Soviet bloc promoted as its highest value the goal of peace, the NATO countries stood together under the banner of liberty. In the Cold War years, neither motto was entirely believable. Peace all too often meant stasis, and liberty all too often the free market economy of capitalism and its tendency towards monopoly. But underpinning the Western belief in freedom lay a two-hundred year old philosophical tradition reaching back through Hegel and Kant into the French and Scottish Enlightenment of the 18th century. That tradition came about in order to address the new social phenomenon of individuality, emerging as mercantile capital moved towards industrial revolution. Increasingly refined legal institutions of personal property and, crucially for art and artists, intellectual property or copyright, demanded a philosophical response concerning the nature of the person and the qualities of relations between persons.

In certain respects, the older feudal culture had been a more purely memetic one. The idea of the meme, formalised by the biologist Richard Dawkins, is that certain concepts act almost virally to spread among a population. Ideas like monotheism, the heliocentric universe and the concept of original sin are ideas that seem to propagate almost of their own accord, using our minds as hosts, but intent on their own reproduction, not ours. Though this anti-social notion of the origins and dissemination of ideologies scarcely accommodates the realities of contemporary mass-mediated societies, it does seem to catch something of the surprise with which the mediaevals greeted the ordinariness of miracles as a memory handed on from generation to generation. Caught up in the cycles of the agricultural year, peasant cul-

uwzględnia realiów współczesnych społeczeństw zdominowanych przez massmedia, jednak zdaje się odzwierciedlać zaskoczenie, z jakim ludzie średniowiecza traktowali codzienną zwykłość cudu jako wspomnienia przekazywanego z pokolenia w pokolenie. Kultura chłopska, zamknięta w cyklu pór roku, zasadzała się na powtarzalności i odnawianiu tradycji. Jednak w miarę postępu urbanizacji, gdy nowo powstający przemysł przyczyniał się do powstania bardziej mobilnych rzesz pracowników najemnych, wyzwolonych z feudalnych więzów łączących ich z ziemią, tradycyjna kultura nie zdołała zaoferować wystarczającej odpowiedzi na nowe pytania o charakterze etycznym. Wolność jako koncepcja filozoficzna pojawiła się po to, by pomóc odejść od tradycji i przejść ku sytuacji, która wydawała się opierać na ściśle jednostkowej, osobistej odpowiedzialności za moralność i uczciwość postępowania. Wolny człowiek odpowiadał za swoje czyny, tak w świetle prawa, jak i zasad moralnych. Owoc jego pracy należał wyłącznie do niego. Miał pełne, niczym nieograniczone prawo do dowolnego nim dysponowania.

Rzecz jasna, umysły filozofów zawsze zaprzątała abstrakcja. W rzeczywistości ogromnej większości mężczyzn i wszystkim, z wyjątkiem maleńkiej garstki, kobietom, daleko było do dysponowania własną pracą i stawiania własnych warunków w tej materii. Parafrazując zdanie Marksa, byli kowalami własnego życia, ale działającymi w warunkach, których sami sobie nie wybrali. Zafascynowani indywidualnością filozofowie nie zauważali uwarunkowań społecznych, które ograniczały i zawężały wolność osobistą. Podczas gdy filozofowie skupiali uwagę na swobodach jednostki, ekonomia polityczna osiemnastego i dziewiętnastego wieku promowała wyłącznie swobodę jednostek ponadosobowych, czyli rozwijających się wówczas przedsiębiorstw przemysłowych i finansowych.

Świadectwo tej zmianie dała również estetyka. Podczas gdy Kant głosił wolność sztuki od poddaństwa kościołowi i królowi, ideologią romantyków była absolutna wolność osobista. Obie trajektorie usuwały sztukę ze świata codziennego, który zamieszkiwała od wieków, i umieszczały ją w nowym, odrębnym świecie indywidualnych koneserów i publicznych galerii, oderwanych zarówno od ulicznego zgiełku, jak i kontemplacyjnej atmosfery katedr. W zamian artystom przysługiwały w ramach większości europejskich porządków prawnych niezbywalne prawa autorskie, i to nawet do tych prac, które komuś sprzedali.

Prywatność konesera stała się wzorem także dla publicznej konsumpcji sztuki, milczącego obcowania z muzyką, literaturą lub malarstwem. W ten sposób nawet sfera prywatna, świeżo „wynaleziona" w kontekście osiemnastowiecznego odseparowania państwa od społeczeństwa, uległa estetyzacji, zaś absolutna swoboda pana domu pozostała podstawą prawa na bardzo długo, bo aż do schyłku dwudziestego wieku.

ture revolved around the repetition and recall of tradition. But as urbanisation began to take hold, and as the new industries promoted a more mobile labour force loosed from feudal ties to the land, traditional cultures no longer held adequate answers to the new questions of ethical action. Freedom emerged as a philosophical concept in order to deal with this move away from tradition and towards what appeared as a purely personal responsibility for moral life and honest dealings. The free man was responsible for his actions, in law as in morality. The fruit of his labour belonged to him alone, and he was free to dispose of it as he would.

Of course, the philosophers have always dealt in abstraction. In reality, the vast majority of men and all but a tiny handful of women were far from free to dispose of their labour in their own terms. To paraphrase Marx, they made their own livelihoods, but not under conditions of their own choosing. Fascinated by individuality, the philosophers failed to note the social conditions that limited and circumscribed personal freedom. While they concentrated on individual liberties, the political economy of the 18th and 19th centuries promoted only the freedom of transpersonal entities, the growing industrial and financial companies.

Aesthetics too bore witness to this change. While Kant promoted the autonomy of art from bondage to church and king, the Romantics promoted an ideology of absolute personal freedom. Both trajectories would remove art from the everyday world where it had resided for centuries, and take it into a newly separate realm of private connoisseurship and public galleries divorced from both the bustle of the street and the contemplation of the cathedral. As their reward, artists would retain, in much European law, inalienable copyright in even those works that they sold.

The privacy of the connoisseur became the model for even public consumption of art, the silent communing with music, literature or painting. Thus even the private sphere, newly invented in the separation of state and civil society in the 18th century, became aestheticised, and the absolute freedom of the master of the household would be a tenet of law right into the late 20th century.

The Society of the Network

But in our times something has changed. It is impossible to allocate a single cause to the bundle of social and intellectual transformations that have overcome us in the last twenty years, but the model of the internet gives us a clear metaphor for understanding it. There are few of us left who could, in the industrialised nations, still gain a living from their hands and their skill. We depend on others for our food, our transport, our communications, our shelter and our clothing. We have to trust the decency of strangers for clean food, safe travel, secure homes. And the webs of mutual involvement are planet-spanning.

If our media are now also networked and open systems, they still rely on our mutual involvement as

Społeczeństwo sieci

W naszych czasach coś się jednak zmieniło. Wielorakości przekształceń i zmian społecznych i intelektualnych, których doświadczaliśmy w ostatnich dwudziestu latach nie da się przypisać tylko jednej przyczynie, ale model Internetu jest czytelną metaforą, która pozwala na ich lepsze zrozumienie. W krajach uprzemysłowionych pozostało niewielu ludzi, którzy wciąż potrafią utrzymać się przy życiu tylko z pracy własnych rąk i ich zręczności. Gdy idzie o zapewnienie sobie jedzenia, środków transportu, komunikacji, schronienia i odzienia jesteśmy uzależnieni od innych. Musimy wierzyć, że osoby całkiem nam obce będą postępowały tak jak należy, zapewniając nam czystą żywność, bezpieczeństwo podróży, spokojny dom. Sieci wzajemnych zależności oplatają dziś cały glob.

Nawet jeśli nasze media są dziś połączone w sieci otwartych systemów, wciąż jednak są zależne od naszego zaangażowania i zainteresowania, tak jak działo się zawsze, od chwili, gdy przy ognisku opowiedziano pierwszą baśń, od pierwszego tańca w jaskini. Są jednak również zależne od zaufania, którym obdarzamy anonimowych inżynierów, piszących linie kodu komputerowego i budujących serwery. Jednak nade wszystko ważna jest tu wiara w szczerość i prawdomówność innych osób, które pozostają anonimowe. Prawda jest dziś tworem płynnym, zmieniającym kształt. W świecie *on-line* nie zawsze jesteśmy tymi, za których się podajemy, ale często jesteśmy tymi, którymi chcielibyśmy być. Ta prawda jest równie silna i równie ważna. Pod pewnymi względami jest nawet istotniejsza, gdy udajemy nasze idealne ego. Skomplikowana sieć komunikacji elektronicznej jest utopijnym konstruktem zbudowanym z życzeń i marzeń, dotyczących doskonałego społeczeństwa lub doskonałego siebie.

Trajektoria, jaką przemierzają prace Rogali w ciągu ostatnich pięciu lat, to zgłębianie podłoża interakcji, badanie wyimaginowanych istot, których obraz ślemy w domenę publiczną i dociekanie przyczyn utopijnych zachowań, którymi charakteryzuje się nasza komunikacja w epoce sieci. W *Lovers Leap* obserwujemy ruchliwy krajobraz Chicago z mostu nad rzeką Chicago, która nie tylko łączy centrum z przedmieściami, ale również dzieli zamożne North Shore od zabiedzonego getta South Side. Nagłe wstawki filmu z Jamajki uporczywie przypominają nam o tym, jak ten świat zamieszany jest w historię niewolnictwa, oporu przeciwko niemu oraz wyrosłych z tego oporu kultur żyjących w diasporze, które urosły w siłę, by pojednać się z Zachodem i go zapłodnić.

Projekt *Electronic Garden / NatuRealization* przenosi owo poczucie historii i wzajemności kulturowej na nowy, wyższy poziom, proponując proces, dzięki któremu głosy, które stworzyły miasto, mogą ponownie zabrzmieć echem na najbardziej uczęszczanym placu. Historia publiczności, zwanej po niemiecku *Oeffentlichkeit*, jest skomplikowana. Dla socjologa Juergena Habermasa sfera publiczna, czyli owo *Oeffentlichkeit*, wyłoniła się z osiem-

they always did from the first tale told around the fire, the first dances in the cave. But they also rely on trust, the trust we give the anonymous engineers who write the code and build the servers. But most of all they imply a trust in the truthfulness of anonymous others. Truth today is a fluid creature, shape-shifting. Online we are not always who we say we are, but we are often who we wish to be, and that truth is just as powerful, just as important. In some ways it is more so for, to the extent that we pretend to be our perfect selves, the intricate net of electronic communication is a utopian construct of wishes for a perfect society of perfect selves.

The trajectory of Rogala's work over the last five years has been to delve into the subsoil of interaction, to query the imaginary beings we project into the public realm, and to investigate the roots of those utopian behaviours that characterise our communications in the age of network flows. In *Lovers Leap*, for example, we watch the mobile cityscape of Chicago at the bridge over the Chicago River that not only joins uptown and downtown but lies between the wealthy North Shore and the impoverished ghettos of the South Side. The sudden flashes of footage from Jamaica are stubborn reminders of the implication of this pristine world in the mad history of slavery, the resistance to it and the far-flung diasporan cultures springing from that resistance to embrace and fertilise the West.

nastowiecznych kawiarni i salonów, by stać się forum wyrażania opinii publicznej podczas okresu rewolucji francuskiej i amerykańskiej. Owe otwarte zgromadzenia publiczne tworzyły niezbędne podwaliny osiemnastowiecznej demokracji. W miarę jednak jak republikanizm tracił swe rewolucyjne ostrze i stawał się podstawą dla postępującego uprzemysłowienia, pozbywał się również elementu otwartości, zastępując ją środkami masowego przekazu, czyli gazetami, a ostatnio mediami elektronicznymi. Dziś opinia publiczna jest tożsama z opinią mediów. Nie znajdzie się już plac wystarczająco duży, by zmieścili się na nim wszyscy mieszkańcy nawet jednego tylko miasta, którzy pragną spotkać się, by przedyskutować ważne sprawy. No, chyba że właśnie Internet mógłby stać się nową sferą publiczną, kablowym placem w środku miasteczka.

Electronic Garden / NatuRealisation to próba stworzenia, w miniaturowej skali, modelu tego rodzaju globalnej sfery publicznej. Co ważne, zawiera element historyczny, ponieważ, jak powiedział George Santayana, ten, kto nie rozumie historii, jest skazany na jej powtarzanie. Na początku dwudziestego pierwszego wieku toczy się walka o zachowanie Internetu jako przestrzeni debaty publicznej, w której to walce przeciwnikiem jest komercjalizacja sieci oraz wszystkie wynalazki (w tym tzw. ciasteczka - *cookies* – znakujące preferencje użytkownika, infoboty i inteligentni agenci) ograniczające swobodę surfowania. Raz jeszcze, podobnie, jak w epoce biurokracji, sprawność działania jest wrogiem demokracji. W miarę jak Internet zbliża się do dystopijnego ideału administrowanej szybkości funkcjonowania, jednocześnie tracąc swą niewinność i otwartość, wiedzę przyrównuje się do informacji, informację do pieniądza, pieniądz do władzy, a władzę do wiedzy. W tej zamkniętej pętli opinie nie podlegają kształtowaniu, lecz są puszczane w obieg. Zbyt często w dyskusjach i debatach posługujemy się niewłaściwym językiem, językiem należącym do starszego świata, językiem cenzury i prywatności. Tyle tylko, że dzisiaj nie mamy czegoś takiego jak prywatność – albo żyjemy na forum publicznym, albo nie żyjemy wcale. Natomiast cenzura to w ostatecznym rozrachunku kwestia kontroli oraz tego, przez kogo jest sprawowana. Dla Rogali te kwestie mają znaczenie drugoplanowe. Najbardziej zajmuje go proces tworzenia przestrzeni, w których możliwa jest demokracja, które promują wzajemność i zaufanie i gdzie głosy z przeszłości mogą objaśnić dzisiejsze zmagania.

Sztuka demokracji

Niektórzy z nas szczycą się posiadaniem własnego zdania, jednak prawdziwe wyzwanie demokracji nie polega na posiadaniu opinii, lecz na jej zmienianiu: chodzi tu o wyzwanie, jakim jest słuchanie, argumentowanie, ocena, wyważanie, dyskutowanie i ocena sytuacji oraz działań na podstawie ich meritum. W skali miasta wciąż możemy mieć nadzieję na tego rodzaju dyskusję. Być może miasto jeszcze może pokusić się o dawny, demokratyczny kształt, chociaż z racji samych tylko rozmiarów mega-mia-

The *Electronic Garden* project, takes this sense of history and the mutuality of cultures to a new and higher level by providing a process through which the voices that have made the city can re-echo through its most public square. The history of publicity, or in German Oeffentlichkeit, is a tricky and complex one. For the sociologist Juergen Habermas, Oeffentlichkeit, the public sphere, emerged from the coffee-houses and salons of the 18th century to become the scene of public opinion in the radical decades of the French and American revolutions. These open, public gatherings were the bedrock of the emergent democracies of the 18th century. But as republicanism lost its revolutionary edge and became the basis for advancing industrialisation, it shed the openness, replacing it with mass mediation in the form of newspapers and more recently the electronic media. Today, public opinion means the opinions voiced by the media. There is no longer a marketplace big enough for the population even of one city to gather together and discuss. Unless, that is, the internet is capable of becoming the new public sphere of a wired commons.

Electronic Garden is an attempt to realise, in a scale model, what such a global commons might be like. Crucially, it contains history for, as George Santayana said, he who does not understand history is condemned to repeat it. In the opening years of the 21st century, the struggle to preserve the internet as a space of public debate is being fought, against the commercialisation of the web and all the devices (preference cookies, infobots, intelligent agents) that reduce each user's freedom to navigate. Once again, as in the age of the bureaucracies, efficiency is the enemy of democracy. As the net closes in on a dystopian ideal of administered speed, and in so doing loses its serendipity and openness, knowledge is equated with information, information with money, money with power, and power with knowledge. In that closed loop, opinions are not formed but circulated. Too often, debates are framed in the wrong language, languages belonging to an older world, languages of censorship and privacy. But we have no privacy today, and should be glad to see the back of it – we live in public or not at all. And censorship is finally a matter of control, and of who does the controlling. For Rogala these questions are of secondary significance. The primary concern is with the process of making spaces where democracy can be enacted, where mutuality and trust are fostered, and where the voices of the past can inform the struggles of the present.

The Art of Democracy

Some of us pride ourselves on having opinions, but the true challenge of democracy is not the having but the changing of opinions: it is the challenge of listening and arguing, assessing and calibrating, discussing and judging the merits of cases and actions. At the scale of the city, there is still hope for such discussion, and perhaps the city can still have a democratic shape of the old kind, though even there the scale of the new mega-cities like Tokyo-

sta takie, jak Tokio-Osaka i Guangzhou (z liczbą mieszkańców zbliżającą się do 70 milionów) pozwalają zakwestionować wręcz same możliwości podtrzymywania starego modelu, nawet na szczeblu lokalnym. Zatem gdzie i w jaki sposób mamy się spotykać? Zdaniem Habermasa media uzurpują sobie miejsce opinii publicznej: dziś, w świecie struktur komunikacyjnych obsługujących wielokierunkowe kontakty między wieloma jednostkami przy pomocy sieci opartych na komputerach, możliwość masowej interakcji, masowego dialogu, ruchów masowych w cyberprzestrzeni wydaje się powracać. Mobilizacja przeciwników globalizacji, za pośrednictwem Internetu, w czerwcu i listopadzie 1999 roku sugerowałaby, że w nowych mediach wciąż być może tkwi szansa na demokrację – mediach nowych w tym sensie, że w chwili, gdy piszę te słowa, upłynęło zaledwie siedem lat od pojawienia się na rynku pierwszej przeglądarki graficznej pod nazwą Mosaic. Znaczenie Zapatista Interneta w walce Chiapas o prawa do ziemi oraz walka o belgradzkie Radio B92 to dalsze dowody na wyłanianie się nowego trybu hacktywizmu, nowej polityki komunikacji.

Jednak takie sposoby wykorzystania mediów sieciowych to małe piwo w porównaniu z gigantycznym rozwojem handlu elektronicznego oraz jeszcze bardziej spektakularnym rozwojem handlu *on-line* pomiędzy przedsiębiorstwami. W pracy Rogali rywalizacja między komercją a demokracją, w kontekście znaczenia wolności, pozostaje niezmiennie widoczna. W jego najśmielszej pracy, dotychczas nie zrealizowanej *Orkiestrze Wirtualnej (Which@World)* kwestia wolności wysuwa się na pierwszy plan. Zastosowany tu interfejs jest wystarczająco prosty, by umożliwić każdemu użytkownikowi całkowicie losowe generowanie przyjemnych dźwięków i efektów wizualnych, jednak większa cierpliwość, niezbędna do zdobycia umiejętności potrzebnych, by posłużyć się celowo tym urządzeniem, zostaje nagrodzona przez możliwość tworzenia bardziej złożonych efektów. Wolności towarzyszy odpowiedzialność. Zgodnie z planami praca w swym ostatecznym kształcie ma objąć 99 interaktywnych punktów rozproszonych po całym świecie, z których każdy umożliwi generowanie nowych dźwięków i obrazów. Wszystkie zostaną ze sobą połączone, tworząc w ten sposób ogromną orkiestrę. Ten najambitniejszy projekt sieciowy od czasów *Good Morning Mr. Orwell* Nam June Paika będzie opierał się na dwóch kluczowych sprawach: użytkownicy przyjmują na siebie odpowiedzialność za jego przebieg i wzajemnie sobie ufają.

To utopia. Ale utopia innego rzędu niż utopia oferowana przez kulturę konsumpcyjną. Reklama roztacza przed nami obraz świata, który mógłby być doskonały – do doskonałości brak mu tego produktu, który należy kupić. Konsumpcyjna utopia jest sentymentalna, w bardzo szczególnym znaczeniu tego słowa, zaproponowanym przez powieściopisarza George'a Meredith, który pisał, że „sentymentalistą jest ten, kto chce czerpać pożytki z rzeczy, nie biorąc za nią odpowiedzialności". Konsumeryzm jest pozbawiony winy, a zatem również etyki. Ruch etyki konsumenckiej próbuje uwrażliwić nas na ukry-

Osaka and Guangzhou (whose population is now closing in on 70 million) begins to change the very possibility of even local government on the old model. Where then and how shall we meet? For Habermas, the media had usurped the place of the public: today, with many-to-many communication structures facilitated by computer-mediated networks, the possibility of mass interactivity, mass dialogues, mass movements in cyberspace seems to return to the agenda. The internet mobilisation of anti-globalisation demonstrators in June and November of 1999 suggests that there may yet be a democracy in the new media — new at least in the sense that, at time of writing, it is a mere seven years since the first graphical browser, Mosaic, became available. The Zapatista Interneta of the Chiapas land-rights struggle, and the fight for Radio B92 in Belgrade are further evidence of a new mode of hacktivism, a new politics of communication.

But these uses of the network media are small beer compared to the massive growth in e-commerce, and even more spectacularly, the growth in business-to-business trading online. In Rogala's work, the contest between commerce and democracy over the meaning of freedom is always visible. In his most daring work to date, the yet-unrealised Virtual Orchestra, (*Which@World*) the question of freedom comes right to the forefront. The interface here is simple enough that any user can make a pleasant noise and visual effects, completely at random, but the piece rewards its participants by offering more complex results from a more patient acquisition of the skills needed to control the device. With the freedom comes the responsibility. As it is envisaged, the piece will eventually involve 99 interactive sites around the world, each of them capable of generating new sounds and images, all connected to one another to form a vast orchestra. The most ambitious networked project since Nam June Paik's *Good Morning Mr. Orwell*, Rogala's orchestra will depend on two core factors: that the users take responsibility for the event, and that they trust one another.

56-57. Divide We See, Quick Time VR, 2001 [101/103]

This is utopia. But it is a different order of utopia to that offered in the consumer culture. There advertising depicts for us perfectible worlds that need only the correct purchases to complete. This consumer utopia is sentimental, in the specific sense of the definition proposed by the novelist George Meredith, who wrote that «the sentimentalist is he who would enjoy without incurring responsibility for the thing enjoyed». Consumerism is without guilt, and so without ethics. The ethical consumer movement attempts to make us alert to the hidden costs of goods: the child labour, the ecological damage, the political chicanery. But pure consumers have no such doubts, and their utopia is without duty or dignity.

te koszty sprzedawanych dóbr: pracę dzieci, straty ekologiczne, szykany polityczne. Jednak tego rodzaju wątpliwości nie zaprzątają sumienia „czystych" konsumentów; ich utopii brak obowiązku i godności.

Utopijność Rogali ma zupełnie inny charakter. Po pierwsze, nie jest to świat całkowicie wyimaginowany, jak ten, który przedstawiają reklamy. To świat, który został naprawdę skonstruowany, który naprawdę istnieje, w którym możemy żyć, w czasie rzeczywistym, jako prawdziwi ludzie. Jego utopijny wymiar wynika ze statusu rozwiązania modelowego, propozycji odmiennego sposobu pojmowania wspólnego życia. Jednak istnienie tego świata dowodzi, że jest on nie tylko możliwy, ale również immanentny. Przywołując tu Ernsta Blocha możemy powiedzieć, że jest to utopia tego, czego jeszcze nie ma *(not-yet)*, utopia, która pozostaje w naszym zasięgu. Pierwszą funkcją pracy jest wykazać, że ów zasięg jest wystarczająco duży, byśmy mogli dzięki niemu sięgnąć po odmienną przyszłość. Po drugie, ogromnie ważnym wkładem, jaki Rogala wnosi do historii sztuki dwudziestego pierwszego wieku było uznanie faktu, że rola artysty się zmienia. W stopniu, w jakim dana praca ma charakter interaktywny, jej kształt zależy od publiczności. W tym właśnie stopniu artysta musi oddać panowanie nad ostatecznym kształtem swojej pracy. Jednak wynika z tego również, że użytkownik – publiczność – musi przejąć na siebie dokładnie ten zakres odpowiedzialności, który oddaje artysta. W przeciwnym wypadku sztuka po prostu nie istnieje. Na tym polega sztuka odpowiedzialności, odpowiedzialność jako tworzywo. Sztuka demokratyczna to sztuka, która istnieje tylko wówczas, gdy publiczność weźmie na swe barki dbałość o funkcjonowanie danego dzieła. W tym sensie demokratyczne dzieło sztuki przypomina bardziej miasto niż pojedynczy budynek. Wprawdzie układ miasta można zaplanować, jednak rzeczywisty jego kształt będzie wypadkową tysięcy różnych pragnień, milionów działań, z których każde pozostawia po sobie nową konstrukcję. Urok sztuki publicznej Rogali polega na tym, że odmawia zrzucania winy na „nich", przemawiając do „nas" i mówiąc o naszym zadaniu, polegającym na stworzeniu świata, który chcielibyśmy zamieszkiwać. Ponieważ w odróżnieniu od naszych poprzedników i następców jesteśmy jedynym pokoleniem istot ludzkich, które żyją właśnie dziś, naszym zadaniem jest uzasadnić ufność, którą nasi przodkowie pokładali w osądzie potomnych oraz stworzyć świat na nowo, zgodnie z naszymi życzeniami. Wolność to nie towar, który można kupić w pięciu różnych kolorach, w zależności od aktualnego nastroju: wolność to surowa kochanka, która wymaga niekończących się starań. Energia, zapał i determinacja Rogali to elektroniczne komponenty składowe okablowanej demokracji. Od nas zależy, w jaki sposób je wykorzystamy.

© Sean Cubitt, 2000

Rogala's utopianism is of a quite different order. Firstly, it is not a purely imaginary world like that of the advertisers. It is a world that is actually constructed, that inhabits the world with us, and that we can inhabit, in real time, as real people. Its utopian dimension arises then from its status as a model for an other way of living together, but one which its very existence demonstrates is not only possible but immanent. In Ernst Bloch's phrase, it is a utopia of the not-yet, a utopia that is within our grasp. The work's first function is to demonstrate that that grasp is long enough to reach for a different future. Secondly, Rogala's great recognition, and his immense contribution to the history of art in the 21st century, is that the artist's role is changing. To the extent that the artwork is interactive, the public makes it what it is. To that extent, the artist must relinquish control over the final form of the work. But the corollary of this is that the public user must take on exactly that degree of responsibility which the artist has relinquished. If they do not, the art simply does not exist. This is the art of responsibility, responsibility as medium. A democratic art is one that only exists when the audience takes on the task of running the work. To this extent, the democratic artwork is less like a building than it is like a city. Cities can be planned, but in actuality are the amalgam of thousands of different desires, millions of activities, each leaving a new construction. The appeal of Rogala's public art is that it refuses to blame «them», and instead speaks to «us» and to our job of making the world in which we wish to live. Since among all those who have ever or will ever walk this earth, we are the only generation of human beings who are alive today, it is our task to justify the faith of our ancestors in the judgement of posterity, and it is our obligation to make the world anew as we would wish it. Freedom does not come in five different colours to match your mood: freedom is a harsh mistress who demands eternal struggle. Rogala's energy, fire and determination are the electronic elements of a wired democracy. It is up to us to use them.

© Sean Cubitt, 2000

Screen Studies Online

http://www.staff.livjm.ac.uk/mccscubi/screen.html

Digital Aesthetics (Sage, London and New York, 1998)

http://www.ucl.ac.uk/slade/digita

The Dundee Seminars

http://www.imaging.dundee.ac.uk/people/sean/welcome.html

Sean Cubitt
Professor of Screen and Media Studies,
University of Waikato,
Hamilton,
New Zealand

58-59. Videoperformance *Mask* (details), 1980 [104/105]

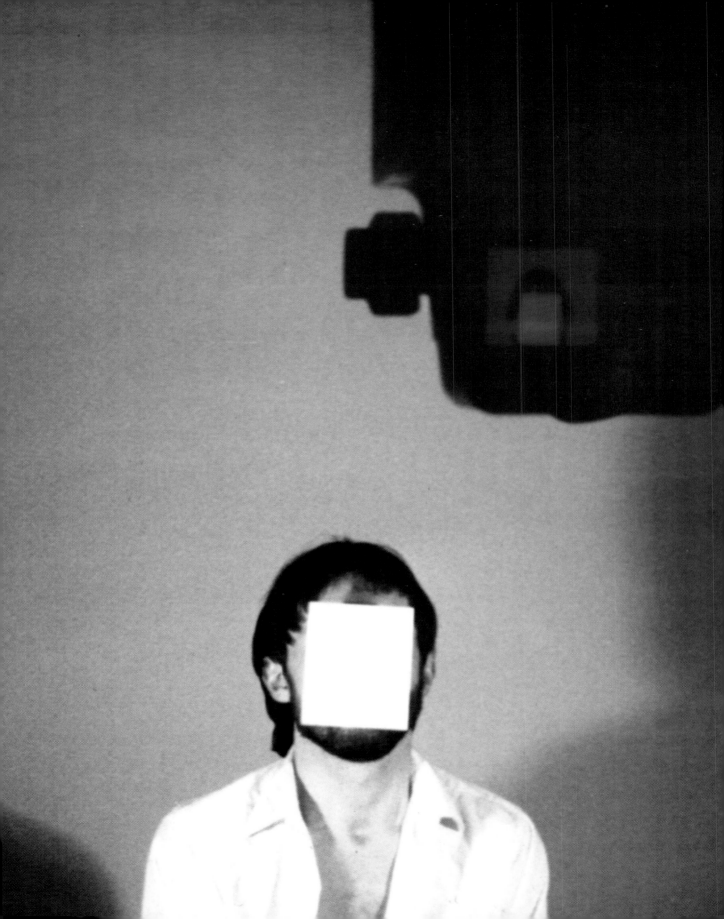

Elaine A. King

MIROSŁAW ROGALA
– TECHNO-POETA CZASU, MIEJSCA, JA•NI.

Mirosław Rogala zajmuje dziś pierwszoplanową pozycję w sztuce mediów, jawiąc się jako jeden z jej twórców obdarzonych najbogatszą wyobraźnią. Jego wciągające, przekonujące, wielowarstwowe, interaktywne dzieła (*environments*) głoszą pochwałę postępów poczynionych przez technikę wideo oraz jej nieskończonych możliwości. Rogala to myśliciel, który szuka w swej sztuce równowagi, drąży tematy przesuwające granice, posługując się w tym celu wciąż ewoluującą technologią, oferującą nieograniczone możliwości. Uznaje, że rola artysty w społeczeństwie ulega zmianom, przyjmując zarazem, że w epoce post-industrialnej nowe wizje artystycznego wyrazu rozwijają się pod wpływem technologii elektronicznych.

W pracach Rogali wyłania się nowy język wizualny, wynikający z synergii komputera i jego zdolności do przekazania wielorakich treści: to, co osobiste, łączy się nierozerwalnie z tym, co metaforyczne, w kontekście poetyckiej ekspresji *high-tech*. Treść dzieła i wykorzystana technika nie są już dziś odrębnymi bytami – metamorfozy koncepcji, wizerunków i technik łączą się, tworząc ekspresję wizualną, której orkiestracja jest dziełem mediów elektronicznych i wynalazczego, niespokojnego umysłu. W swych pomysłowych instalacjach Rogala wyraża wielorakość codziennych zdarzeń takich, jak dźwięk, mowa, muzyka, obraz i ruch. Obrazy są na siebie nakładane i syntetyzowane w sposób, który stanowi paralelę dla tkanki codziennego życia, w odróżnieniu od dwuwymiarowego obrazu, który jest statyczny i funkcjonuje wyłącznie na płaszczyźnie wizualnej. W enigmatycznych scenografiach, które zachęcają zwiedzającego do wchodzenia z nimi w interaktywne relacje Rogala przedstawia teatralne opowieści, w których dzieli się szczególnymi historiami i osobistymi doświadczeniami.

Zainspirowany brechtowskimi ideami teatru i jego niezgodę na widza jako biernego odbiorcy wydarzeń Rogala zachęca do interakcji, budując otoczenia, które z zamierzenia mają funkcjonować jako scena sprzyjająca interakcji i partycypacji. W tej wizualnej domenie przedstawia to, co znane, razem z tym, co obce, po to, by zdestabilizować nawyki i konwencje widzenia. Wbudowane w jego prace manewry strategiczne służą wzmocnieniu percepcji i zapoczątkowaniu modelu oglądania prac przeciwstawnego podejściu muzealnemu. W centrum tej sztuki, w której podstawowym parametrem jest czas, znajduje się aspiracja do ponownego określenia znaczenia artystycznych doświadczeń wizualnych. Mirosław Rogala jest zdania, że gdy zachodzi prawdziwa interakcja, dochodzi do transformacji pierwotnych konstruktów stworzonych przez artystę; przyczyną takich przekształceń jest interpretacja narzucona przez oglądającego. Widz nie ogranicza się już do obserwacji jednego, wyizolowanego obiektu ani też jednostkowego doznania; wielowymiarowe spotkanie z dzie-

MIROSLAW ROGALA
– A TECHNO POET OF TIME, PLACE, SELF

Miroslaw Rogala stands today on the forefront of media art and surfaces as one of its most imaginative producers. His compelling, multi-layered, interactive environments evince the advancement of video technology and its infinite possibilities. Rogala is a thinker who seeks balance in his art as he probes issues and attempts to push boundaries with an ever-changing technology that permits illimitable opportunities. He recognizes the changing role of the artist in society, as well acknowledges that in this Post-Industrial Age because of electronic technology new visions of artistic expression are growing.

A new visual language emerges in Rogala's work as a result of the synergism of the computer and its ability to convey many contents—the personal and metaphorical fuse seamlessly in his high tech poetic expression. Content and technology no longer are separate entities—a metamorphosis of ideas, images and technique meld, generating a visual expression choreographed by electronic media and an ingenious restless mind. The multiplicity of such everyday occurrence as sound, speech, music, images and movement is conveyed in Rogala's inventive installation. Images are layered and synthesized in a manner that parallels the fabric of contemporary life, unlike the two-dimensional image that is static and operates only on a visual plane. In enigmatic settings that encourage interactive relationships with the visitor, Rogala presents specialized theatrical narratives in which he shares special stories and personal experience.

Inspired by Brecht's ideas about the theatre and his antagonism of the viewer as a passive spectator, Rogala invites interaction in his environments that are intended to function as a type participatory stage. In this visual domain he presents the familiar with the unfamiliar in order to destabilize the habits and conventions of viewing. Strategic maneuvers are built into his work in order to augment one's perception and to originate a counter-museum-looking model. At the center of this time-based art is an aspiration to rewrite the meaning of artistic visual experiences and the concept of viewer mapping. According to Miroslaw Rogala when genuine interaction is attained a transformation of the artist's original construct occurs and is drawn out by the viewer's interpretation. No longer is the onlooker simply observant of an isolated object or experiencing a single entity—a multi-dimensional encounter results because of the observer's active participation with a multitude of sensory stimuli. Rogala refers to the viewer in this setting as a (v)user (a term he coined to describe this activity of visual transformation as an outcome of the interaction). According to Rogala, "My artistic practice emphasizes the significant differences among a single (v)user and multi (v)users interacting with the ar-

łem jest rezultatem aktywnego udziału obserwato-ra, na którego oddziałuje mnóstwo bodźców senso-rycznych. Widza znajdującego się w tym kontekście Rogala określa mianem (v)user – (w)użytkownik (ter-min, który artysta ukuł dla opisania wizualnej trans-formacji wynikającej z tego rodzaju interakcji). Jak mówi Rogala: „Moja praktyka artystyczna podkre-śla znaczące różnice pomiędzy sytuacją kiedy jeden (w)użytkownik wchodzi w interakcję z dziełem sztu-ki umieszczonym w przestrzeni publicznej a tą, w której z dziełem spotyka się wielu (w)użytkowni-ków, jak również kładzie nacisk na interakcje po-między samymi (w)użytkownikami. Fizyczna interak-cja wewnątrz przestrzeni fizycznych oraz pomiędzy nimi wymaga ponownego zwrócenia uwagi na kwe-stie autorstwa". Posługując się techniką elektronicz-ną, Rogala pracuje nad doświadczeniami uczestni-ków, uwzględniając dźwięk i ruch – zarówno postrze-gane niezależnie od siebie, jak i we wzajemnym powiązaniu.

Mimo zupełnie innego stopnia zaawansowania technicznego, obecnego w pracach Rogali, jego filozoficzne podejście do technologii nie różni się od podejścia artystów tworzących u progu dwudzie-stego wieku, którzy przyjęli postęp technologiczny, jednocześnie stawiając mu wyzwania, podkreślając jego potencjał poetycki, magiczny i kreatywny. Rogala jest spadkobiercą pionierów, którzy łączyli podstawy techniczne i estetyczne, a także zdobywa-li wiedzę i umiejętności potrzebne, by budować neo-tyczne obrazy, oferujące nowe doświadczenia, któ-re z kolei były bodźcem do stawiania nowych pytań. Uznaje fakt, że wideo powoduje zatarcie się różnicy między obrazem a rysunkiem, statycznym obrazem na ścianie. Posłużenie się bodźcami związanymi z gestem, obrazem, dźwiękiem i językiem służy prze-sunięciu punktu ciężkości ze sztuki obiektu na kon-cepcje artysty i współudział widza. Mirosław Roga-la ustawicznie bada sposoby budowania nowych powiązań pomiędzy różnymi praktykami edukacyj-nymi i zajmuje się poszerzaniem udziału widza w artystycznych doznaniach. Mimo, że jego sztuka opiera się na upływie czasu, nie musi być jednak linearna – Rogala stawia na przypadek i jednocze-sność w nadziei pobudzenia w ten sposób nowej świadomości.

Relacje artysty z technologią były i nadal są złożo-ne i płynne. Podobnie jak wielu artystów-wizjone-rów, Rogala również musiał uporać się z wyzwania-mi stawianymi przez nowe technologie w szerszym kontekście społecznym. Na przestrzeni ostatnich stu lat zakres wykorzystania techniki szybko się posze-rzał dzięki nowym wynalazkom oraz zapotrzebowa-niom zgłaszanym przez różne grupy społeczne, od handlowców po wojskowych. W ubiegłym wieku ar-tyści zainteresowali się technologią, która wówczas dominowała. Ich zaangażowanie w film i fotografię szybko podważyło tradycyjną definicję tworzenia sztuki oraz rozróżnienie między oryginałem i repro-dukcją, czy też tym, co realne, a tym, co jest tylko iluzją. Picabia, Man Ray oraz Moholy-Nagy odkryli dla sztuk plastycznych nowe tereny dzięki sprawno-ści w posługiwaniu się technologią; to samo doty-

twork in public space, and interaction among the (v)users. Physical interaction within and between physical spaces demands new attention to author-ship." Using electronic technology he creates for audiences and participant's experiences that inclu-de sound and movement—individually or in conjunc-tion with one another.

Despite the technical upgrading present in Roga-la's work, his philosophical approach to technology is no different from artists at the onset of the twen-tieth century who have both embraced and chal-lenged new technology by stressing its poetry, ma-gic, and creative potential. He is kindred in spirit to the forerunners who used technological and aesthe-tic underpinnings, as well acquired skills and know-ledge to make neoteric images that provide fresh experiences in order to pose new questions. Miro-slaw Rogala recognizes that video collapses the di-stinction between painting and drawing—the static image on a wall. Using gesture, visual and audio stimulus, and language, he shifts the focus from the art object to the artist's ideas and to the spec-tator's participation. Continuously he explores ways to form new relationships among different educa-tional practices and to extend the viewers partici-pation in the artistic experience. Despite the fact that this art is time based nevertheless it needn't be linear—Rogala prefers chance and simultaneity in the hope of sparking new awareness.

Artists' relationship with technology has been and continues to be complex and fluid.

As have many visionary artists, Rogala, has had to grapple with challenges posed by new technolo-gies within a larger social context. The use of tech-nology has rapidly increased in the past hundred years because of the onslaught of new inventions and social demands coming from commerce to the military. In the previous century artists have posi-tioned themselves in relation to the developing tech-nology of their era. Their engaging of film and pho-tography swiftly complicated the traditional artisa-nal definition of art making and the distinction be-tween original and reproduction, as well as the real and illusory. Picabia, Man Ray, and Moholy-Nagy, broke new ground in the visual arts because of the-ir technological prowess as did Sergiej Eisenstein in his classic film *Battleship Potomkin*.

Televisions since the 1950s further broke down the distinctions between high and low art and posed questions about the differences among serious and popular culture–this discourse has influenced the shaping of Post-Modern visual culture. In the 1960s video became an art form that played a significant role in mutating contemporary art when the Porta-pak became available to the public. Up until that time, it had been restricted to commercial televi-sion studios because of cost and technical constra-ints requiring trained masterminds. This was a time when the monolithic power of network television was gaining momentum as the primary means of mass communication and entertainment in the United States. A new generation was becoming shaped by televisions electronic information transmittance in

czy Siergieja Eisensteina w jego klasycznym filmie „Pancernik Potiomkin".

Poczynając od lat pięćdziesiątych, do dalszego zacierania różnic pomiędzy sztuką „wysoką" a „niską" przyczyniała się telewizja, postawienie zaś pytań dotyczących różnic między kulturą poważną a popularną wpłynęło na kształtowanie kultury wizualnej postmodernizmu. W latach sześćdziesiątych formą artystyczną, która odegrała istotną rolę w ewolucji sztuki współczesnej stało się wideo, szczególnie od momentu publicznego udostępnienia systemu Portapak. Do tego czasu wideo pozostawało zamknięte w studiach telewizji komercyjnej z powodu kosztów oraz kwestii technicznych, wymagających wyszkolonych umiejętności. Był to okres, gdy sieć telewizyjna coraz bardziej zdecydowanie zajmowała miejsce podstawowego środka komunikacji masowej i rozrywki w Stanach Zjednoczonych. Wzrastało nowe pokolenie, ukształtowane przez elektroniczną transmisję informacji telewizyjnych w stopniu, o jakim nikomu się nie śniło. Pojęcie *sound-bite* i odpowiadający mu krótki okres koncentracji uwagi na jednym temacie nie były jeszcze wówczas należycie rozumiane. Dziś jest to po prostu sposób życia. Dla wielu osób telewizja była nie tylko jednym z obszarów aktywności kultury amerykańskiej, ale również siłą napędową kształtującą wszystkie aspekty kultury globalnej, w szczególności na Zachodzie. Dla pokolenia dorastającego pod koniec lat sześćdziesiątych telewizja była zjawiskiem nowym, dziś jednak, wraz ze środkami masowego przekazu, reklamą, zaawansowaną technologią oraz spektaklem stanowi materiał, z którego zbudowana jest codzienność.

Dla pionierów amerykańskiej sztuki wideo w latach siedemdziesiątych, artystów takich, jak Vito Acconci, Dara Birnbaum, Mary Lucier, Rita Myers, Nam June Paik, Martha Rosler, Keith Sonnier, John Sturgeon, Woody i Steina Vasulka czy Bill Viola wideo było medium pożądanym. W owych czasach było jednym z najtańszych i najłatwiej dostępnych narzędzi, dostępnych artystom. Wraz z transformacją definicji sztuki, po eksperymentach i działaniach post-minimalistów, artyści wideo zaczęli sięgać po zasady sztuki konceptualnej i performance oraz przyswajali elementy czasu rzeczywistego i realnej przestrzeni.

Dla wielu przedstawicieli sztuk wizualnych nowa technologia oznaczała decentralizację telewizji i umożliwiała im przekazanie swych opinii szerszej publiczności. Ponieważ produkcje wideo często służyły krytyce dominującej kultury, którą wspierały media oparte na przekazie masowym, wideo przez długi czas skazane było na margines kultury amerykańskiej. Także nietrwałość materiału, na którym jest tworzone wideo, problematyzuje możliwości stworzenia jego historii. Co więcej, jak podkreśla Marita Struken, problemem wydaje się również to, że zapis o charakterze historycznym staje się tu substytutem samego dzieła. Dopiero od połowy lat osiemdziesiątych narzucone przez kuratorów blokady oraz ograniczenia w dostępie wideo do muzeów zaczęły stopniowo zanikać.[1]

ways no one could imagine. The notion of "sound-bite" attention spans was yet to be comprehended. Today, it is a way of life. For many, television was not only an activity of American culture but also a driving force shaping all facets of global culture, especially in the West. For the generation coming of age in the late sixties, television was a new phenomenon; today it along with mass media, advertising, high technology, and spectacle comprise the material of daily existence.

Pioneers of American video art in the 1970s, including such artists as Vito Acconci, Dara Birnbaum, Mary Lucier, Rita Myers, Nam June Paik, Martha Rosler, Keith Sonnier, John Sturgeon, Woody and Steina Vasulka, and Bill Viola, found video a welcome medium. It was one of the cheapest and most accessible tools available to artists at that time. With the expansion of the definition of art after the experiments and activities of the Post-Minimalists, video artists began incorporating the tenets of conceptual and performance art and optimized the elements of real time and space.

For many visual trailblazers, this fresh technology decentralized television and allowed them to get their ideas to larger audiences. Because video productions oft operated against the grain of mainstream consumerism or were used as a tool to critique dominant culture that was well served by the media of mass technology, for a long time it was shunted to the margins of American culture. Also, the problem in constructing video's historical narrative are further exacerbated by the impermanence of the materials from which video is made. Moreover, as Marita Struken points out, there was seem a problem when the historical record becomes a substitute for the work itself. Only since the mid-1980s did curatorial blockage and restricted museumization begin to disappear.[1]

Today video and electronic is becoming acknowledged as a legitimate art form paralleling Post-Modern aesthetic attitudes with its conglomerate output. The reasons for this positive shift in attitude are many and complex. Conditions for the acceptance of video art are far more conducive today then they were in the early 1980s or even 1990s. This is partially an outcome of the prevalence of technology throughout all facets of society and culture, and because video is beginning to be valued as its rich but young history reveals its autonomous place within the context of visual culture. Moreover video art shares several characteristics with much contemporary art of today–especially installation art. As with the latter it lacks permanence and objecthood and it shares with film and performance art – movement and the element of time. At such global expositions as the 48th Venice Biennial and the 53rd Carnegie International, video artists were represented in mass. Despite the sophomoric content prevailing in much of this work, the very abundance of video nevertheless demonstrates how technology is showing us an expanded understanding of art's positional place and function within international culture that extends beyond the "white cube."[2]

Dzisiaj wideo i sztukę elektroniczną uznaje się za uprawnioną formę sztuki, równorzędną do postaw estetycznych postmodernizmu z jego wytworami stanowiącymi zlepek różnorodnych elementów. Taka pozytywna zmiana postaw ma liczne i skomplikowane przyczyny. Dzisiejsze warunki znacznie bardziej sprzyjają akceptacji sztuki wideo niż warunki panujące we wczesnych latach osiemdziesiątych czy nawet dziewięćdziesiątych. Jest to po części rezultatem przenikania techniki do wszystkich obszarów społeczeństwa i kultury. Sztuka wideo zaczyna być też ceniona w miarę jak jej bogata, choć niedługa historia nadaje jej autonomiczną pozycję w kontekście kultury wizualnej. Ponadto, szereg cech łączy sztukę wideo z pokaźną częścią współczesnej sztuki, w szczególności zaś ze sztuką instalacji. Tak samo brak jej trwałości i przedmiotowości; z kolei z filmem i performancem łączy wideo element ruchu i czasu. Na wystawach o randze światowej, takich jak 48 Biennale w Wenecji czy 53 edycja Carnegie International, sztukę wideo reprezentowało wielu artystów. Mimo ulotnej treści większości tych prac, już sama ich obfitość jest dobitnym dowodem na to, że technika wskazuje nam drogę ku rozbudowanemu, poszerzonemu pojmowaniu miejsca i funkcji sztuki w ramach kultury międzynarodowej, wychodzącej poza „biały klocek".[2]

Dzisiejsza pozycja Mirosława Rogali jako artysty, jest wynikiem dwudziestu lat eksperymentowania, jak również przekształceń, jakie sztuka wideo zawdzięcza technice komputerowej. Co najbardziej zadziwia w pracy Mirosława Rogali to fakt, że artysta ten nigdy nie należał do amerykańskiego „pokolenia telewizyjnego" lat sześćdziesiątych i siedemdziesiątych. Rogala urodził się w komunistycznej Polsce.[3] Dorastając i dojrzewając, doświadczał świata, w którym wszelka komunikacja była trudna, skrytość zaś stanowiła powszechny sposób na życie. Dzisiejsza treść sztuki wideo łączy w sobie dokument, instalację, poezję elektroniczną, komentarz polityczny oraz opowiadanie – od lat prace Rogali przekraczają linie podziałów pomiędzy różnymi dyscyplinami, tworząc amalgamat różnych form ekspresji. Być może właśnie życie w otoczeniu nacechowanym represją i ograniczeniami skłoniło artystę do swobodnego komunikowania się w uniwersalnym języku, który będzie dostępny dla „wszystkich".

W latach siedemdziesiątych, mimo niedostępności zaawansowanej techniki wideo w Polsce, Rogala budował prace o charakterze interaktywnym i eksperymentował z gestem i czasem. W 1975 roku, wykorzystując minimalistyczne rzeźby, stworzył swą pierwszą interaktywną pracę, zatytułowaną *Pulso-Funktory* (1975-1979). W tej pracy zwiedzających zachęca się do czynnego udziału w jej kształtowaniu poprzez manipulowanie wyłącznikami światła i dźwięku. Oba te elementy będą odgrywały zasadniczą rolę w rozwoju eksperymentalnej sztuki tego artysty ze względu na tkwiącą w nich nieograniczoną możliwość rzeźbienia, kształtowania doświadczeń i nakładania na nie nowych form.

W 1979 roku Mirosław Rogala ukończył Akademię Sztuk Pięknych w Krakowie, otrzymując dyplom

Where Rogala stands today as an artist is the result of twenty years of experimentation, as well as the transformation of video art by computer technology. What is most amazing about Miroslaw Rogala and his acute media adeptness is that he never was part of the American television generation of the sixties and seventies. In contrast he was born in Communist Poland.[3] During his formative years Rogala experienced a world where all communication was difficult and secrecy was a way of life. The content of video art today incorporates documentary, video installation, electronic poetry, political commentary, and storytelling – Miroslaw Rogala's art for years has been crossing interdisciplinary lines resulting in an amalgam of varied expression. Perhaps living in a repressed and restricted environment propelled him to communicate freely in a type of universal visual language that would be accessible to "all."

In spite of the unavailability of lofty video technology in Poland, Rogala in the 1970s was making interactive works and experimenting with gesture and time. Using minimalist sculptural forms in 1975 he made his first interactive work titled *Pulso-Funktory* (1975-79). This work invited the audience to actively participate in the alteration of the exhibition setting by triggering light and sound switches. The elements of light and sound would remain essential in the evolution of his experimental art – they afford unlimited power to sculpt, shape, and mold experiences into new forms.

In 1979, he graduated from the Academy of Fine Arts in Krakow, Poland, with a Masters of Fine Arts degree in painting but prior to this he was a practicing musician. After meeting Dieter Froese in New York City in 1980, and collaborating with him on an as-yet-uncompleted video project, Rogala made electronic media his primary art tool. It was this encountering that revealed to him the power of collaborative interaction among individuals and the strength transdisciplinary work. This was a benchmark episode that shaped Rogala's working – he continues today to produce his hybrid brand of performance, installation, and video art, as does a film or theatre director.

For many artists electronic technology provides a versatile instrument that affords multi-sensory perception and engages the theoretical as well as the aesthetic. In 1969, Nam June Paik wrote, "The real issue is not to make another scientific toy but to learn how to humanize the technology and the electronic medium and to stimulate viewers' fantasy to look for the new, imaginative and humanist way of using technology."

Rogala is an artist who respects the ideals of Paik however he has gone beyond the object, the screen, and the concept of viewer as bystander. Although he feels comfortable being called an artist, his work evinces philosophical concerns and raises questions about the state of contemporary society in which culture and humanity are ever mutating. It would simplistic to try classifying him with singular traditional titles – video artist, sculptor, installation

60. Pulsa-Funktory 1975-79

magisterski w dziedzinie malarstwa; w okresie poprzedzającym był również czynnym muzykiem. Po spotkaniu z Dieterem Froese w Nowym Jorku w 1980 roku oraz współpracy z nim przy tworzeniu dotychczas nieukończonego projektu wideo, Rogala wykorzystuje media elektroniczne jako swe podstawowe narzędzie artystyczne. To właśnie spotkanie odkryło przed artystą potęgę współpracy i interakcji oraz siłę, jaka tkwi w pracach przekraczających granice jednej tylko dyscypliny sztuki. Ten przełomowy epizod wywarł trwały wpływ na sposób pracy Mirosława Rogali, który do dziś tworzy hybrydy łączące elementy performance'u, instalacji i sztuki wide w sposób bliski pracy reżysera filmowego lub teatralnego.

Dla wielu artystów elektronika stanowi uniwersalny instrument, umożliwiający percepcję multi-sensoryczną i obejmujący aspekty zarówno estetyczne, jak i teoretyczne. Jak pisze w 1969 roku Nam June Paik, „tak naprawdę stawką w tej grze nie jest zbudowanie kolejnej naukowej zabawki, lecz nadanie ludzkiego wymiaru mediom i technikom elektronicznym oraz takie stymulowanie wyobraźni widza, by szukał on nowych, pomysłowych i humanistycznych sposobów wykorzystania technologii".

Rogala jako artysta szanuje ideały wskazane przez Paika, choć wychodzi poza obiekt, ekran i pojęcie widza jako osoby „stojącej obok". Chociaż dobrze czuje się w roli artysty, jego prace poruszają kwestie filozoficzne i stawiają pytania dotyczące stanu współczesnego społeczeństwa, w którym kultura

artist – instead he must be viewed as a transdisciplinary maker who utilizes many tools and incorporates various disciplines into his work. A particular region of focus is on society and it finding a balance with nature. Despite Rogala's embrace of high technology he recognizes that it can be a dangerous weapon to humanity. Rogala however, shares a realistic attitude about technology with Alan Rath who believes that a poised blend of aesthetic, mechanical, and social concerns needs to exist in order to attract the onlooker's attention.[4]

Whereas a stream of social consciousness underlines his expression, Rogala abhors didactic art that conveys faultfinding messages. Blatant critiques of society are absent or only subtly addressed in his energetic displays. He has no tolerance for unduly simplified academic utterance – he sees them as being thin and short-lived – not interesting! Rogala has commented, "Why separate political concepts from the social context? It is all integrally connected – I try to tell a story that convey larger than life issues but in a far teaching way." Rogala feels, "...all media are devices in an artist's creative toolbox and are only used only when appropriate." Rogala continuously uses multiple visual and audio elements, combining the properties of scale, space, movement, sound, time with current technology.

In an early, two minute black and white production titled *Polish Dance*, 1980, Rogala is the actor who in an apprehensive, abrupt manner paces and

i aspekt humanistyczny ulegają ciągłym zmianom. Byłoby nadmiernym uproszczeniem, gdybyśmy próbowali włożyć go do którejś z tradycyjnych „szufladek"; trzeba postrzegać go jako twórcę transdyscyplinarnego, który posługuje się licznymi narzędziami i włącza do swej pracy różnorodne dyscypliny sztuki. Szczególnie interesuje go społeczeństwo i znalezienie równowagi w relacjach człowieka z naturą. Mimo korzystania z zaawansowanej technologii Rogala zdaje sobie sprawę, że może ona stanowić narzędzie zagrażające ludzkości. Z drugiej jednak strony dzieli realistyczne podejście do technologii Alana Ratha, przekonanego o tym, że aby przyciągnąć uwagę widza, konieczne jest umiejętne powiązanie kwestii estetycznych, mechanicznych oraz społecznych[4].

Choć jego ekspresji towarzyszy wątek świadomości społecznej, Rogala nie znosi sztuki dydaktycznej, która koncentruje się na wskazywaniu palcem „winnego". Brak w jego pracach otwartej krytyki społecznej; artysta ogranicza się do subtelnych napomknień. Nie toleruje uproszczonego dyskursu akademickiego, który postrzega jako krótkotrwały, a zatem nieinteresujący: „Po co oddzielać koncepcje polityczne od kontekstu społecznego? To wszystko jest ze sobą integralnie powiązane – staram się opowiedzieć historię, która przekazuje niezwykle ważkie kwestie, ale unikam mentorskiego tonu". Rogala uważa, że „wszystkie media to narzędzia, które artysta ma w swojej skrzynce, i którymi posługuje się tylko wtedy, gdy jest to stosowne". Sam stale posługuje się różnymi elementami wizualnymi i dźwiękowymi, wiążąc własności skali, przestrzeni, ruchu, dźwięku i czasu z aktualną technologią.

W swej wczesnej czarno-białej, dwuminutowej pracy z 1980 roku, zatytułowanej *Polish Dance*, Rogala jest aktorem, który chodzi i staje, w nieufny i gwałtowny sposób, w rytm polskiej muzyki ludowej granej na akordeonie. W tej autobiograficznej pracy, która odnosi się do wewnętrznej radości z przebywania w USA i melancholii wobec cierpiącej ojczyzny, artysta przekazuje poczucie zagubienia i oderwania od kraju, który opuścił; w Polsce właśnie wprowadzono stan wojenny i zdelegalizowano Solidarność. Mimo prostej i nieskomplikowanej historii wizualnej, przedstawionej w tej pełnej napięcia i zawikłanej pracy, udaje mu się przekazać poczucie zagubienia i oderwania. Tę pracę zadedykował robotnikom w Polsce.

Poczynając od 1982 roku, jego konstrukcje medialne stają się coraz bardziej złożone. Co więcej, prace są o wiele dłuższe, Rogala zaś poszerza paletę technicznych rozwiązań, symbolicznych odniesień i interaktywnych gestów. Dopracowanie i rozwinięcie sposobu prezentacji pomaga artyście zaakcentować różnorodne elementy: grafikę, pejzaż i ruch oraz – to nowość – kolor. W pracy *Speech* (1982) na ekranie kina samochodowego w chicagowskim parku Granta wyświetlany jest wizerunek mężczyzny, którego twarz zakrywają zmieniające się geometryczne formy, uniemożliwiające widzowi uzyskanie informacji dotyczących jego tożsamości. Posłużenie się przez Rogalę mechanizmem blokady przypomi-

pauses to the rhythm of Polish folk accordion music. A sense of confusion and displacement is conveyed in this autobiographical work that deals with his inner joy of being in the USA and a melancholy for his suffering homeland that he has left behind— Poland had recently been placed under Martial Law after the outlawing of Solidarity. Despite the simple and straightforward visual narrative of this tensely riddled piece, Rogala's successfully communicates a sense of confusion and detachment. He dedicated this piece to the workers back in Poland.

From 1982 onward, his multiform media constructs grew in complexity. What's more, the work significantly increased in length and Rogala broadened his palette of technical devices, symbolic references, and interactive gestures. His refinement of presentation helped to accentuate the disparate elements—graphics, landscape and movement as well color is introduced into his artistic repertoire. In *Speech*, 1982, an image of a man is projected on an actual drive-in screen, in Chicago's Grant Park. Alternating geometric shapes obscure facial features, denying the viewer specific information about his identity. Rogala's device of blockage calls to

61. Speech, Videotape, Video Drive-In, Grant Park, Chicago, Illinois, 1984

na konceptualne prace Johna Baldessariego z połowy lat osiemdziesiątych, jednak w tym przypadku funkcjonuje to jako elektroniczny performance, nie zaś dwuwymiarowa deklaracja. Pulsowanie zmieniających się czerwonych, białych i czarnych kwadratów w symboliczny sposób uniemożliwia aktorowi zakomunikowanie czegoś, co zdaje się być sprawą pilną. Czysta czerwień i biel to barwy polskiej flagi narodowej, stanowiące łącznik między treścią pracy a osobistą historią artysty. Zestawienie projekcji wideo z podświetlonym nocnym pejzażem miejskim Michigan Avenue integruje tę medialną pracę z rzeczywistością, co jest rozwiązaniem popularnym wśród artystów od połowy lat dziewięćdziesiątych.

W pracy *Four Simultaneous Provocations* (1982) Rogala w znaczący sposób posłużył się językiem angielskim i polskim. Jest to jednokanałowa taśma wideo, złożona z dwóch obrazów wideo zeskanowanych na jedną klatkę. Inspirację czerpie autor ze swego wewnętrznego, prywatnego świata, starając się zjednoczyć swą osobistą przeszłość z aktualnym, nowym życiem, które prowadzi w Ameryce. W subtelny sposób Rogala nawiązuje do przemijania czasu stosując dwujęzyczny tekst – polski oznacza prze-

mind the mid-1980s conceptual imagery of John Baldessari, but operates as an electronic performance and not a two-dimensional statement. The pulsating movement of the changing squares of red, white, and black symbolically block the actor's attempt to communicate what appears to be an urgent message. The pure colors of red and white signify the Polish Flag and bridge the content to the artist's personal history. The juxtaposition of a video projection against the night lighted urban landscape of Michigan Avenue integrates this media of artwork with real life, a popular device among artists since the mid-1990s.

Rogala's use of Polish and English language is significant in the work *Four Simultaneous Provocations*, 1982, a single channel videotape that is composed of two video images that were rescanned into a single frame. Here Rogala draws inspiration from his inner private world in an attempt to unite his past reality with the present externality of a new life in America. Although very subtle in its content Rogala addresses the subject of time passing by applying a bilingual text—Polish signifying the past—English representing the present. Movement, sym-

szłość, angielski teraźniejszość. Ruch, symbolika i obraz łączą się ze sobą w tej medialnej kompozycji, która kwestionuje bezpośrednie doświadczenia percepcji. Nakładanie na siebie różnych form oraz potok świadomie poetyckiego tekstu skłania widza do zwrócenia uwagi na rozwój dramatu. Ta praca wideo była sygnałem odejścia przez Rogalę od prac czysto narracyjnych. W tej pracy jest performerem, choć rozświetlony wizerunek postaci zrywa z banałem codzienności. Jak mówi sam Rogala: „Zacząłem pracować z kamerą wideo, aby zdefiniować estetykę ulokowaną poza kinem".

Question to Another Nation (1983-1985), praca czterokanałowa, jest złożona z wielu równoległych, 15-minutowych ścieżek dźwiękowych, mówiących o kilku dramatycznych wydarzeniach. Również w tej pracy, której współtwórcami byli Christopher Wargin oraz Lucien Vector, osią jest autobiograficzna aluzja, choć daje się tu odczuć znaczące zmiany w sposobie, w jaki Rogala posługuje się techniką. We wcześniejszych pracach technika zdawała się przesądzać o kreatywnym rezultacie; teraz jednak wyraźnie widać, że Rogala lepiej panuje nad fuzją techniki/maszyny z ideami, mimo narastającej złożoności tworzonych prac. Techniki używa tak samo, jak malarz pędzla. Michael Maggio, reżyser i producent z chicagowskiego teatru Goodman Theatre powiedział: „Sztuka Mirosława Rogali to wideopłótna dwudziestego pierwszego wieku". W tej instalacji łączą się cztery elementy, w które Rogala wbudował obrazy i sceny z wcześniejszych prac. „Połączyłem te obrazy, aby stwierdzić, ile czasu potrzebuje widz, by rozpoznać pewne znaki, niezależnie od przedstawionych niespójności". Szczególnie ciekawy jest sposób, w jaki Rogala posługuje się kolorem, który zalewa twarz człowieka i zaciera informację. Nagłe wtrącenia wodnych pejzaży dają chwilę wytchnienia od nielinearnego nawału bodźców: „Nagle jego dłoń przecina pejzaż. Gest bywa często kwintesencją komunikacji".[5]

Remote Faces: Outerpretation (1986-88) to kolejna praca przełomowa ze względu na jej dłuższy czas trwania (36 minut) oraz fakt zerwania przez Mirosława Rogalę z produkcją powstającą wyłącznie w technice wideo. W efekcie wyłoniło się rozróżnienie między rzeźbą wideo i instalacją, wynikające bezpośrednio z wyzwolenia monitorów, które zyskują tu fizyczną obecność, oraz dostępności nowych technologii, które umożliwiają płynną koordynację projekcji. Siedmiokanałowa instalacja wideo prowadzi tę technikę ku teatrowi ze względu na przedstawienie „na żywo" oraz funkcjonowanie siedmiu zsynchronizowanych monitorów wideo, na których wyświetlane są jednocześnie obrazy nagrane w USA, Francji i Luksemburgu. W tej pracy, intensywnie drążącej postawione kwestie, głosy chóralnie odpowiadają „na tak" i „na nie" na pytania dotyczące życia, śmierci, miłości, pasji, zdrady i godności. „Zainspirowany potrzebą nauczenia się zarówno technik wideo, jak i języka angielskiego, Rogala rozważa kwestię, czy jego nowe medium jest również językiem. Analizuje obraz elektroniczny, by stwierdzić, czy posiada on – tak określane w żargonie lingwistycznym – inherentne struktury głębokie".[6]

bolism, language, and image coalesce in this media composition that challenges straight perceptual experience. The layering of forms and the stream of conscious poetic text compel the viewer to pay closer attention to the unfolding enigmatic drama. This video signaled a departure from Rogala's pure narrative displays. In this work he is the performer however the solarized image of the figure breaks the banality of the day-to-day. According to Rogala, "I began working with the video camera to define an aesthetic apart from cinema."

Question to Another Nation, 1983-1985, a four-channel work is made up of multiple soundtracks that communicates several dramas simultaneously over a span of 15 minutes. In this collaborative piece with Christopher Wargin and Lucien Vector, again autobiographical allusion provides a pivotal foundation for this piece however significant change is sensed in Rogala's use of technology. In former performances the technology seems to determine the creative output—now a firmer control is evident in Rogala's fluent fusion of machine technology with ideas despite the increased complexity of the work. Rogala takes liberties with the technology, as would a painter with a brush. Michael Maggio, a producing director of Chicago's Goodman Theatre said, "Miroslaw Rogala's art is a video canvas of the twenty-first century." In this installation, 4 distinct elements are brought together from which Rogala has incorporated images and scenes from prior productions. "I combined images in order to see how much time the viewer needs to recognize certain signs despite the incongruities presented." His use of color is especially interesting in how it intermittently engulfs the human face and camouflages information. The abrupt thrust of water vistas provides a place of retreat from the non-linear bombardment of stimuli. "Suddenly his hand slices the landscape. The essence of communication is often gesture."[5]

Remote Faces: Outerpretation, 1986-88 is a bench mark piece because of its extended length of 36 minutes and Rogala's break from the realm of contained video production. A distinction between video sculpture and installation accordingly developed as a direct result of the role-played by the liberation of monitors as a physical presence and the availability of new technologies that allowed for seamless projections. This seven channel video installation extends video into the realm of theatre because of the live performance and the multiplicity of the seven synchronized video monitors that simultaneously projected images taped in the United States, France, and Luxembourg. In this intensely probing work, choirs of voices respond in a pro and con manner to questions about life, death, love, passion betrayal, and dignity. "Inspired by the need to learn English as well as video, Rogala explores the question of whether his new medium is also a language. He probes the electronic image to see if it has, as they say in linguistics, inherent deep structures."[6]

The work *Macbeth/The Witches Scenes* acknowledges the pervasiveness and obsolesces of technolo-

62. Remote Faces: Outerpretation, Museum of Contemporary Art, Chicago, Illinois, 1986

Praca *Macbeth/The Witches Scenes* mówi o wszechobecności i starzeniu się technologii. Pierwotnie zaplanowana w 1988 roku jako multimedialna część *Makbeta* wystawianego w Piven Theater, ta interaktywna praca, zakrojona na dużą skalę, łączy akcję toczącą się na żywo z sekwencjami wideo. Rogala zestawia tu liczne techniki wideo i komputerowe, nie tracąc jednak z oczu zasadniczych cech oryginalnego tekstu sztuki. W tym współczesnym przedstawieniu szekspirowskiej opowieści widz jest świadkiem scen zainspirowanych ponadczasową literaturą, jednak zamiast klasycznego czytelnego teatru, ma do czynienia z na-

gy. Designed originally in 1988, as a part of the multimedia for the Piven Theater's production *Macbeth*, this large-scale interactive work combined live action and video sequence. Rogala conglomerates an array of video and computer techniques but never loses the essence of the original *Macbeth* text. In this contemporary rendition of Shakespeare's story, the viewer is witness to scenes inspired by a timeless piece of literature however instead of seeing crisp classical theater, one witnesses haunting imagery resembling a nightmare evoked by a post-apocalyptic world. Live actors interacted with pre-recor-

63. Nature Is Leaving Us, Scene X, 1989

tarczywie prześladującymi go obrazami, przypominającymi nocne koszmary. Aktorzy współgrają tu z zarejestrowanymi wcześniej sekwencjami wideo, w których występują oni sami, co daje w rezultacie dziwaczne, dwutorowe kompozycje. Wykorzystanie przez Rogalę przemawiającej do wyobraźni muzyki, frenetyczne gesty wiedźm, które przypominają bezdomnych – wszystko to przyczynia się do stworzenia brzemiennej w implikacje atmosfery. Niepokojący dramat jest potępieńczo ponury; stawia pytania na temat postmodernistycznego społeczeństwa oraz tego, w jakim stopniu technika sprawuje władzę nad ludzkością i może przesądzać o jej postępowaniu.

W pracy *Nature Is Leaving Us* (która ewoluowała na przestrzeni kilku lat, od 1989 do 1994), Rogala

ded video sequences of themselves resulting in eerie coexistent compositions. Rogala's use of compelling musical scores, as well the frenzied gestures of the witches, who resemble homeless people, create an ominous sensibility. A sense of heightened doom and gloom is evident in this unsettling drama that poses questions about contemporary Post-Modern society, as well as the controlling power of ubiquitous technology over humankind.

In *Nature Is Leaving Us*, (an evolving output from 1989-1994), and Rogala forges farther in establishing his visual language while he addresses the conflicting reality of man and nature in an urban environment. The length of the production is now 65 minutes; its scale is enlarged; and the comple-

posuwa się dalej w tworzeniu własnego języka wizualnego, odnosząc się do konfliktu między rzeczywistością człowieka i natury w środowisku miejskim. Praca trwa 65 minut; charakteryzuje się większą skalą, skomplikowany zaś sprzęt techniczny stanowi amalgamat wielorakich urządzeń. Interaktywny charakter elektroniki pozwolił artyście na stworzenie elastycznego otoczenia, w którym formy sztuki ulegają przebudowaniu z jednego typu doświadczeń na inny. Indywidualne dźwięki zostają przekształcone w obrazy, obrazy zaś stają się dźwiękami, ponieważ komputery umożliwiają tego rodzaju orkie-

xity of the technical equipment is an amalgam of multiple apparatus. The interactive nature of electronic technology allowed him to create a pliant milieu that reconstructs art forms from one type of experience into another. Individual sounds become transmuted into images and images become sounds because computers allow for such orchestration. This titillating piece introduced me to the resonant world of Miroslaw Rogala in which he provides a new communication landscape that metamorphose ideas, images, and sound. Live and prerecorded video and multimedia co-exit with panoramic presen-

strację. Ta praca była dla mnie wprowadzeniem w świat Mirosława Rogali, w którym artysta proponuje nowy pejzaż komunikacyjny, oparty na metamorfozie pomysłów, koncepcji, obrazów i dźwięku. Elementy odgrywane na żywo i zarejestrowany wcześniej materiał wideo oraz multimedialny współegzystują z panoramicznymi prezentacjami na trzech dużych ekranach o wymiarach ok. 2 na 3 metry, złożonych z 48 monitorów, trzech kanałów wideo, pięciu kanałów audio w technologii *sound-surround*. Muzyka grana na żywo, taniec, poezja i rzeźba potęgują dramatyzm tej ambitnej multimedialnej pracy. Rogala przekazuje kolejne warstwy informacji w sposób zajmujący, a zarazem ogromnie przenikliwy. Praca przywodzi na myśl apokaliptyczny film

tations sheathing three 6 x 8 foot video-walls containing 48 monitors, three video channels, five surround-sound audio channels—live music, dance, poetry and sculpture add to the drama in this ambitious multimedia work. Rogala communicates layers of information in an entertaining but penetrating way that resonates the urgency of his message. *Nature* evokes the vibrating visual character of Godfrey Reggio's famed, apocalyptic film *Koyaanisqatsi*. Both possess sophisticated, multi-channel, multi-media interweaving of media, performance, and sound— conceivably such a visual encounter can be intimidating, however this bombardment of information from so many sources tends to resemble the dizzying juxtaposition of both visual and

Godfreya Reggio, *Koyaanisqatsi*. Oba te dzieła charakteryzuje wyrafinowane przenikanie się mediów, performance i dźwięków – łatwo zrozumieć, że tego rodzaju wizualne spotkanie może onieśmielać, chociaż z drugiej strony bombardowanie informacjami pochodzącymi z tak wielu źródeł przypomina oszałamiający natłok bodźców wizualnych i dźwiękowych, którego doświadczamy na co dzień w centrach dużych miast. Sztuka Rogali przesuwa dalej granice wideo oraz granice naszego pojmowania teatru, opery i sztuki instalacji. To, czego doświadczamy, nie stanowi normalnej sytuacji oglądania dzieła sztuki – nie jesteśmy ani w kinie, ani w salonie przed telewizorem – jest to sytuacja nowa i wyjątkowa. Prace Rogali dojrzewają i rozwijają się, wychodząc z tego właśnie, źródłowego paradygmatu wizualnego.

Sukces pracy *Nature Is Leaving Us* wydaje się otwierać przed Mirosławem Rogalą świat coraz głębszego łączenia mediów z wypowiedzią o charakterze osobistym. Jego celem jest powiązanie sztuki i techniki w celu wzmocnienia ludzkiej percepcji; artysta ma nadzieję zbudować relacje łączące język wizualny z rzeczywistością. Poczynając od lat dziewięćdziesiątych takiej integracji służy usuwanie barier dzielących widza pasywnego i aktywnego poprzez zaprzęgnięcie technologii komputerowej i Internetu do budowania wyspecjalizowanej odmiany medialno-estetycznych instalacji. Wyraźną cechą jest tu czas, pozwalający widzowi doznać poczucia teraźniejszości, przeszłości i przyszłości.

Poczynając od lat dziewięćdziesiątych prace Rogali dowodzą relatywizacji wartości wyznawanych w naszej pluralistycznej kulturze. Artysta mówi o wieloznaczności, wątpliwości, zmienności i płynności. Odnosi się do procesów interakcji między ludźmi tworzącymi znaczenia kulturowe za pośrednictwem systemów telematycznych, do których dostęp jest możliwy niemal z każdego miejsca – z domu, biura, biblioteki, baru, więzienia czy plaży, jak również z galerii, muzeum i szkolnej klasy. Chociaż w ciągu ostatniej dekady jego prace rozwinęły się w tak wielu wymiarach, jednak szereg kluczowych dzieł stanowi niejako podsumowanie nowych, złożonych konfiguracji technicznych – *Instructions Per Second* (1991-1994), *Lovers Leap* (1995), *Electronic Garden/NatuRealization* (1996) oraz *Divided We Speak* (1997). Interaktywność staje się kwintesencją tych instalacji medialnych, oferując (w)użytkownikowi szersze możliwości podejmowania interakcji w przestrzeni cybernetycznej za pośrednictwem komputerowych wspomnień, bez obowiązujących zazwyczaj ograniczeń czasowych i przestrzennych, które dotyczą interkomunikacji bezpośredniej, twarzą w twarz.

Wspólna z Carolee Schneemann praca wideo zatytułowana *Instructions Per Second* zaowocowała syntezą feministycznego tekstu retorycznego z elektronicznym kodowaniem. Występujące w kulturze Zachodu kody uzależnione od płci, będące przedmiotem zainteresowania Schneemann, w zestawieniu z poznaw-

audio stimuli that we daily encounter in metropolitan centers. Rogala's art pushes the boundaries of both of video, as well as our idea of theater, opera, and installation art. What is experienced is not a normal viewing situation—it is not a movie house or a living room—it is new and unique. From this originative visual paradigm Rogala's work persists to mature and unfold.

The success of *Nature Is Leaving Us* appears to have been Mirosław Rogala's passport to delve further and deeper in expanding the coupling of media with personal statement. His aim is to combine art and technology in order to heighten human perception—he hopes to devise a relationship between visual language and reality. Beginning and continuing throughout the 1990s, this interaction designer continued to demolish barriers between passive and active viewing by harnessing computer technology and the Internet in his specialized brand of media aesthetic installations. Time is a distinct component, evoking a sense of present, past and future for the viewer within fractions of a second.

From the 1990s onward, Rogala's work evinces the relativistic values of our pluralistic culture, as he deals with ambiguity, doubtfulness, flux, and flow. He addresses the processes of interaction among people that create cultural meaning through telematic systems that can be accessed from virtually any location—the home, office, libraries; bars, prisons, and beaches; and galleries, museums, and classrooms. Although over the past decade his out-

64. Instructions Per Second, Schneemann & Rogala, The Artist's Studio, Chicago, Illinois, 1994

czym aspektem współistnienia systemów informatycznych i mitów, interesujących Rogalę, były przyczynkiem do powstania dziesięciominutowej taśmy wideo, w której oboje artyści przeprowadzili szereg badań i analiz dotyczących własnej pracy. Nałożone na siebie warstwy symboli, dźwięków i obrazów zostały przekształcone w ożywioną wymianę nowych informacji.

Program stypendiów artystycznych w ZKM/Center for Art Media w Karlsruhe (Niemcy) w 1994 roku zainspirował Rogalę do stworzenia poszerzonego interaktywnego environment, zatytułowanego Lovers Leap, które zostało również zapisane na CD-ROMie. Tutaj pojęcie (w)użytkownik[7] zostaje przeniesione na nowy poziom ze względu na to, że w ramach

put has grown in many dimensions several key works encapsulate the new complex technical configurations—*Instructions Per Second 1991-1994, Lovers Leap,* 1995, *Electronic Garden/NatuRealization,* 1996, and *Divided We Speak,* 1997. Interactivity becomes the essence of the above media installations affording the 'v(user)' increased capability to interact in cybernetic space, via computer anamnesis, and free of normal restraints of time and space that apply to face-to-face intercommunication.

The collaborative video work he produced with Carolee Schneemann, titled *Instructions Per Second 1991-1994,* resulted in a synthesis of feminist rhetorical text with electronic codification. Schneemann's focus on gender coding in Western culture

65. Lovers Leap, Computer Sketch, 1994

tego wątku – fizycznego, architektonicznego i trójwymiarowego – ruch sam w sobie staje się elementem performatywnym, zdolnym do modyfikowania iluzorycznej sensowności przestrzeni fizycznej. Na tym publicznym forum przestrzeń zamieszkana jest przez wielu (w)użytkowników, najdrobniejszy zaś ruch w obszarze instalacji (15 na 12 metrów) wywołuje niepokojące doznania wzrokowe. W tej samej przestrzeni znajdują się bowiem również ekrany o wymiarach 7 na 5 metrów, na których skala ciała człowieka zostaje dwukrotnie powiększona. (W)użytkownik ma na głowie urządzenie z wbudowanym nadajnikiem ultradźwiękowym, dzięki czemu jego przemieszczanie się względem pionowych ekranów powoduje zmiany obrazu: im bliżej jesteśmy rzutowanego obrazu, tym silniejsze jego powiększenie. Świadomość przestrzenna typu „tu i teraz" funkcjonuje w kontekście sytuacji, w której uaktywniono pojęcia władzy i kontroli. W jednej chwili widzimy scenki z Chicago, w pobliżu Tribune Tower, i słyszymy miejski gwar – dzięki zastosowaniu QuickTime Clip ten miejski pejzaż znika jak za dotknięciem różdżki i zostajemy przeniesieniu w sam środek Trze-

and Rogala's cognitive interplay of information systems and myth resulted in a 10-minute, videotape in which both artists conducted a series of investigations based on interests related to their own work. A layering of symbols, sounds, and images were transformed into an interchange of new information at a nimble pace.

The outcome of an artist-in-residence program at the ZKM/Center for Art Media in Karlsruhe, Germany in 1994 inspired Rogala's creation of an expanded interactive environment titled *Lovers Leap,* 1995 that was also made into a CD-ROM. Here the notion of the '(v)user'[7] is pushed to another level because within this weave of the physical, architectural, and three-dimensional movement itself becomes an performative element capable of altering illusory sensibility of the physical space. In this public forum many '(v)users' inhabit the space and their slightest actions within the installation chamber area of 15 x 12 meters, containing 7 x 5 meter screens magnified twice the scale of a human's size, trigger unsettling optical experiences. The '(v)user' wears a headset mounted with an ultrasound trac-

ciego Świata, na Jamajkę, gdzie obserwujemy miarowe, spokojne fale bijące o brzeg morza. Rogala odtworzył tutaj interaktywny model wizualny, będący analogią dla potęgi wspomnień.

W ramach projektu Sculpture Chicago, zatytułowanego „Reinventing the Garden City", Rogala zbudował interaktywną, dźwiękową scenę na świeżym powietrzu. W tej instalacji typu *site-specific* zatytułowanej *Electronic Garden/NatuRealization*, której towarzyszyła prezentacja na stronie internetowej, doznania (w)użytkownika nie zależą od iluzorycznych danych wizualnych, lecz od ruchu, zaprogramowanego tekstu i samego otoczenia pracy. Rogala „pożenił" interaktywną technologię z historią, budując ją w miejscu Chicago znanym niegdyś jako Bughouse Square. Uwrażliwienie na ograniczenia swobody wypowiedzi panujące za czasów komunizmu sprawia, że dla Rogali jest rzeczą naturalną zbudowanie instalacji stanowiącej forum publiczne w parku Washington Square. Na przestrzeni ostatniego stulecia postacie takie, jak Nelson Algren, Clarence Darrow, Emma Goldman, Ben Hecht, Carl Sandburg i Studs Turkel wygłaszały tu ważkie mowy adresowane do mieszkańców Chicago. Prosta, lekka struktura, przypominająca nieco altanę, została okablowana, na szczycie zaś metalowego rusztowania zawieszono głośniki. Gdy w przestrzeni nie ma nikogo, pozostaje ona w uśpieniu – przejście człowieka przez „oprogramowaną" strefę, zauważone przez czujnik ruchu w podczerwieni, uruchamia odtworzenie jednominutowego przemówienia autorstwa jednego ze słynnych oratorów z Bughouse. Nagle mamy do czynienia nie tylko z pewnym wyodrębnionym obszarem wypełnionym odtwarzanym tekstem, lecz również z echem słów, które wypełnia sąsiadujący z nim park. Zbadawszy wydarzenia z przeszłości i uzyskawszy dostęp do oryginalnych tekstów przechowywanych w Newberry Library i w Chicago's Historical Society, Rogala włączył ten materiał do swej instalacji. Integracja różnorodnych elementów pozwala na to, by przełożyć technologię na język świata artysty, co z kolei umożliwia powstanie nowej, przestrzennej formy sztuki publicznej.

Przez dwie dekady Mirosław Rogala odkrywa nowe terytoria, budując otoczenia interaktywne oparte na wideo. Idiosynkretyczna, nieustannie ulegająca zmianom ekspresja Rogali nie wiąże się z modnymi ruchami stylistycznymi ani nie daje się określić zawiłej i niejasnej teorii sztuki. Dzieła te charakteryzują się pewnym elementem wspólnym, pokrewieństwem ze światem sztuki w jej głównym nurcie, często zaś go wyprzedzają tak technicznie, jak i wizualnie. Prace Rogali są bezsprzecznie jedyne w swoim rodzaju. Obok Billa Violi, który również w latach osiemdziesiątych rozpoznał potencjał technologii w odniesieniu do świata kultury i budując swe pejzaże przekroczył granice rzemiosła w dziedzinie wideo, Rogala stoi w pierwszym szeregu twórców sztuki elektronicznej. Jego skomplikowane struktury opowiadają dziwne historie w postmodernistycznie transdyscyplinarny sposób. Jego specjalistyczny język wizualny miesza formalny rygor z otwarcie ironiczną wrażliwością, której odpowiada nieliniowy model narracji.

king device and their varying distance to the upright screens will shift and determine the image size— the closer one is to the projected image, the more climactic is the zoom. A here and now spatial consciousness operates within a situation in which concepts of power and control is activated. At one moment you see scenes of Chicago near the Tribune Tower and hear bustling sounds of the city—through the use of a QuickTime Clip this urbanscape instantly vanishes and one is visually transported to the Third World culture of Jamaica with its cool, contemplative surf. What Rogala has recreated here is an interactive visual model analogous to the power of memory recall.

As part of *Sculpture Chicago's*, "Reinventing the Garden City Project", Rogala constructed an interactive outdoor arena that was wired with sound. In this public site-specific interactive installation, with accompanying Website, titled *Electronic Garden/NatuRealization*, 1996, the '(v) user's' experience is not dependent on illusory visual data but is transferred through their movements, programmed text, and the setting itself. Rogala marries technology, interactivity with history in this work built in a neighborhood region of Chicago once known as *Bughouse Square*. Being sensitive to the restrictions of free speech under a Communism, it appears natural for Rogala to construct a public forum installation in Washington Square Park,. Over the past century individuals as Nelson Algren, Clarence Darrow, Emma Goldman, Ben Hecht, Carl Sandburg, and Studs Turkel among others delivered profound addresses to the people of Chicago. A simple lattice structure resembling a gazebo was wired for sound with speakers perched atop the metal scaffolding. When no one enters the space, it is dormant – when one passes through the defined setting of a programmed electronic zone, an infrared sensor activates a 1-minute speech by one of the famous Bughouse orators. Suddenly not only is the explicit section filled with audio text but also resonating language fills the space of the adjoining park area. Having researched the past events and gained access to the original texts from the Newberry Library and Chicago's Historical Society, Rogala incorporated this material into his movement sensitive installation. The integration of the varying elements translates the nature of technology into the realm of the artist and allows for the emergence of a new dimensional public art form.

For two decades Mirosław Rogala continues to break new ground with his video based interactive environments. Rogala's idiosyncratic, ever-changing expression is neither linked to trendy stylistic movements nor determined by obscure art theory. The oeuvre of this art exhibits a tangent to a circle kinship to the mainstream art world and often he has been ahead of its wave both technically and visually. Rogala's work is undeniably unique, and, with the exception of Bill Viola, who likewise in the 1980s recognized technology's potent cultural sphere and transcended the craft of video making with his compelling landscapes, remains at the forefront of elec-

66. Electronic Garden/NatuRealization, Washington Square Park, Chicago, Illinois, 1996

Mirosław Rogala jest obecnie w trakcie studiów doktoranckich na University of Wales, Newport Centre for Advanced Inquiry in the Interactive Arts (centrum zaawansowanych badań nad sztukami interaktywnymi), gdzie pod kierunkiem Roya Ascotta pracuje nad teoretyczną analizą kultury telematycznej[8]. Takie właśnie powiązanie praktyki artystycznej z akademickimi badaniami pomaga Rogali w wypracowaniu bezpośredniej odpowiedzi na jego relacje ze sztuką i technologią, angażujące oko, dłoń, intelekt i emocje, jak również w rozbudowywaniu sieci telematycznych i komputerowych stanowiących matrycę działań kreatywnych.

tronic art making. His inter-woven structures narrate quirky stories in a transdisciplinary Post-Modern manner. His specialized mediated visual language mixes formal rigor with an overtly ironic sensibility that lends itself to a non-linear narrative model.

Beyond his prolific art production, Miroslaw Rogala is a Ph.D. candidate[8], studying with Roy Ascott at the University of Wales, Newport Centre for Advanced Inquiry in the Interactive Arts, where he is rigorously engaged in the theoretical analysis of telematic culture under the guidance of Roy Ascott. It is this integration of the hands-on making with

67. Divided We Speak, PHSColograms with Interactive Sounds, Museum of Contemporary Art, Chicago, Illinois, 1997

Świat Mirosława Rogali jest tak bliski sercu, ponieważ nie przytłacza go cynizm, pomimo często spotykanego przeładowania sensorycznego, występującego w jego wzrokowych ekstrawagancjach dotyczących człowieka, maszyn i miejskiego życia. W instalacjach (w)użytkownik doświadcza wątków psychologicznych i filozoficznych poprzez przetwarzanie obrazów i dzięki potencjałowi audiocyfrowych i analogowych komputerów, laserów, projektorów slajdów i światła poddanego dyfrakcji.

Mirosław Rogala korzysta z technologii, ponieważ cyfrowe obrazy i dźwięki są nieskończenie podatne na manipulacje – artystę cieszy możliwość wykorzystywania tych nieograniczonych możliwości, aby rzeźbić, kształtować i zmieniać wszelkie doświadczenia czy idee w nowe formy i interaktywne konstrukcje. W ten sposób artysta otrzymuje struktury otwarte, ściśle skorelowane z innymi elektronicznymi formami, którymi posługuje się branża rozrywkowa; optymalizuje tę rzeczywistość tak, by ze swym poważnym przesłaniem dotrzeć do szerszej publiczności.

Artyści tego tysiąclecia muszą uznać fakt, że sposób pojmowania dzieł kultury wizualnej został ukształtowany przez branżę rozrywkową, zwłaszcza przez telewizję z jej krótkimi ujęciami i wszystkim, co z tego wynika. Jest to konieczne, by umieć komunikować się z publicznością, posługując się me-

his academic pursuits that assists him with developing a direct response to his eye-hand-intellect-emotion relationship with art and technology and aids in the expanding telematic networks and the computer as a matrix of creative work.

What is most endearing about Miroslaw Rogala's world is that it is not weighted down with cynicism despite the oft-sensory overload rampant in his ocular extravaganzas concerning man, machines, and urban life. In the installations the '(v)user' experiences a combination of psychological and philosophical themes through the processing of images and audio capabilities of analog and digital computers, lasers, slide projections, and diffracted light.

Miroslaw Rogala proceeds to embrace technology because digital images and sounds are infinitely malleable—he enjoys using its limitless power to sculpt, shape, and turn any experience or idea into new forms and interactive constructions. It provides him the novelty of open-ended structures that are closely aligned to other electronic forms of the entertainment industry and he optimizes this reality in order to reach a larger audience with his serious messages.

Artists of this millennium must acknowledge that spectators comprehension of visual culture has been conditioned by the entertainment industry, as well

todami umożliwiającymi przekazanie informacji w nowy, pojmowalny sposób. W artykule zatytułowanym *Games People Play*, który ukazał się w „Washington Post", Libby Copeland pyta: "Czy interaktywna rozrywka to spełnienie marzeń czy koszmarny sen? Gra jest rzeczywista. Gry wideo i komputerowe, najszybciej rozwijający się segment rozrywki, zajmują nam znacznie więcej niż tylko wolny czas. Gry nas zmieniają: naszą technologię, naszą sztukę, sposób, w jaki się uczymy, nasze oczekiwania względem świata".[9]

Nie wiemy jeszcze, w jakim kierunku poprowadzi nas Mirosław Rogala. Żywię jednak przekonanie, że ta podróż będzie nadal źródłem złożonych, metaforycznych doświadczeń, które potrafią pogłębić naszą świadomość.

© Elaine A. King, czerwiec 2000

as by a 'sound-bite' mentality inspired by television—in order to communicate with such an audience artists must device methods to communicate information in a new imaginable manner. In the article, "Games People Play," *Washington Post* writer Libby Copeland asked: "Is interactive entertainment a fantasy come true or a bad dream? The game is real. It is video and computer gaming, the fastest growing facet of the entertainment industry, and it occupies far more than our leisure time. Gaming is changing us: our technology, our art, how we learn, what we expect from the world."[9]

Where Miroslaw Rogala next will take us remains uncertain. I am however convinced that his ingenious journey will persist in yielding complex metaphoric experiences capable of enlightening our interior consciousness.

© Elaine A. King, June 2000

1 Doug Hall and Sally Jo Fifer, *Introduction: Complexities of an Art Form*, edits. *Illuminating Video. An essential Guide to Video Art*, (New York: Aperture Foundation , 1990), p. 15.

2 Brian O'Doherty, *Inside the White Cube (Wewnątrz białego klocka)*, (Santa Monica: The Lapis Press, 1976). W książce autor analizuje nowoczesną przestrzeń galerii i kwestionuje jej model oraz sposób, w jaki przesądza o zachowaniu widza i jego interpretacji sztuki. O'Doherty pisze: "Świat zewnętrzny nie ma prawa wejść do środka, zatem okna są zazwyczaj szczelnie zasłonięte. Ściany pomalowano na biało. Sufit staje się źródłem światła".

3 W listopadzie 1993 roku organizowałam wystawę prac Mirosława Rogali w Contemporary Arts Center in Cincinnatti, Ohio. Wystawie towarzyszyła broszura, w której znalazł się mój esej zatytułowany *Video as Universal Language: The Magical World of Mirosław Rogala* (Wideo jako język uniwersalny: Magiczny świat Mirosława Rogali). Zaadaptowane fragmenty tego eseju włączono do niniejszego, poszerzonego tekstu.

4 Elaine A. King, *Alan Rath's Techno Anthropoids*, "Sculpture", Jan.-Feb., 1999, Vol. 18, No. 1., p. 10.

5 Chris Straayer, *Video Tape Review*, Video Data Bank, USA, 1986.

6 Colin Westerbeck, *Chicago: A New Generation from SAIC*, "Artforum International", grudzień 1986.

7 Termin *(v)user* Mirosław Rogala ukuł, by opisać wizualną transformację interaktywnych doświadczeń będących wynikiem partycypacyjnych spotkań, mających miejsce podczas działań podejmowanych przez jednego lub wielu użytkowników (*users*) w ramach instalacji interaktywnych.

8 Mirosław Rogala otrzymał już stopień doktora w dziedzinie interaktywnych sztuk medialnych w październiku 2000 roku w CAiiA/STAR Center for Advanced Inquiry in Interactive Art, University of Wales College w Newport. [przyp. red.]

9 Libby Copeland, *Games People Play*, "The Washington Post", April, 13, 2000, Section C, p. 1.

1 Doug Hall and Sally Jo Fifer, "Introduction: Complexities of an Art Form," edits. *Illuminating Video, An essential Guide to Video Art*, (New York: Aperture Foundation , 1990), p. 15.

2 Brian O'Doherty, *Inside the White Cube*, (Santa Monica: The Lapis Press, 1976). In this timely book its author analyzed the modern gallery space and questioned its underlying model and how it controls the viewer and the interpretation of art. He notes, "The outside world must not come in, so windows are usually sealed off. Walls are painted white. The ceiling becomes a source of light...."

3 In November 1993, I organized an exhibition of several works by Miroslaw Rogala at the Contemporary Arts Center in Cincinnati, Ohio. To accompany this exhibition a booklet was compiled for which I wrote the essay *Video as Universal Language: The Magical World of Miroslaw Rogala*. Parts of that essay have been adapted and incorporated into this enlarged text.

4 Elaine A. King, "Alan Rath's Techno Anthropoids," *Sculpture*, Jan.-Feb., 1999, Vol. 18, No. 1., p. 10.

5 Chris Straayer, Video Tape Review, Video Data Bank, USA, 1986.

6 Colin Westerbeck, "Chicago: A New Generation from SAIC." *ARTFORUM INTERNATIONAL*, December 1986.

7 The term (v)user or (v)users are terms Miroslaw Rogala coined to describe the visual transformation of interactive experience resulting from participatory encounters during the activity of either a single or multiple users in an interactive installation.

8 Miroslaw Rogala was awarded a Doctor of Philosophy degree in Interactive Media Arts in October, 2000 through CAiiA/STAR Center for Advanced Inquiry in Interactive Art, University of Wales College in Newport.

9 Libby Copeland, "Games People Play," *The Washington Post*, April 13, 2000, Section C, p. 1.

Elaine A. King
Senior Research Fellow, Smithsonian Institution
Professor, History of Art & Theory
Carnegie Mellon University
Pittsburgh, USA

68. Lovers Leap Grid, 1995

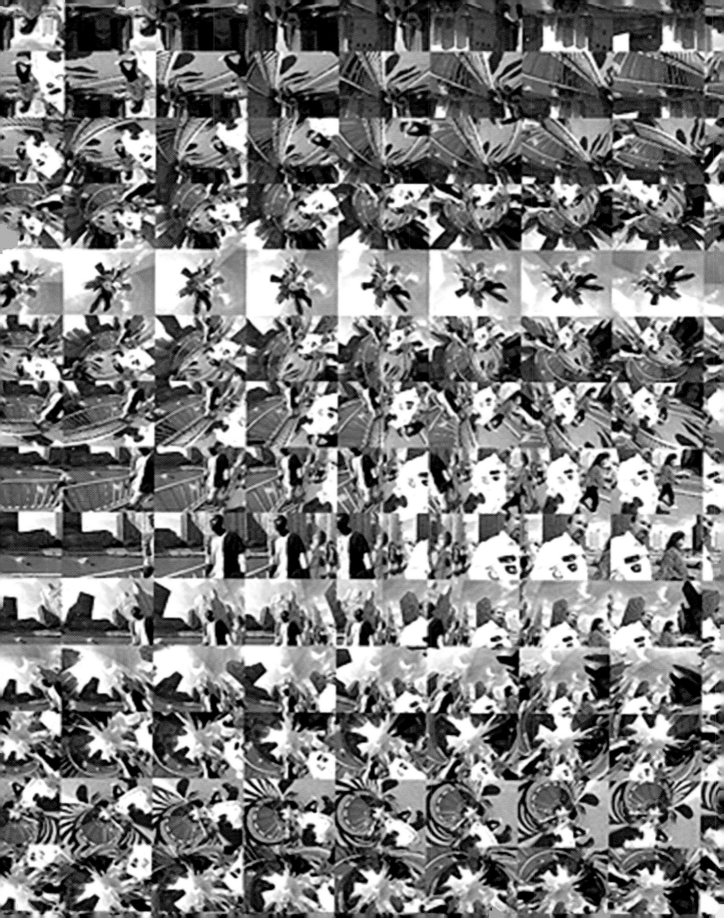

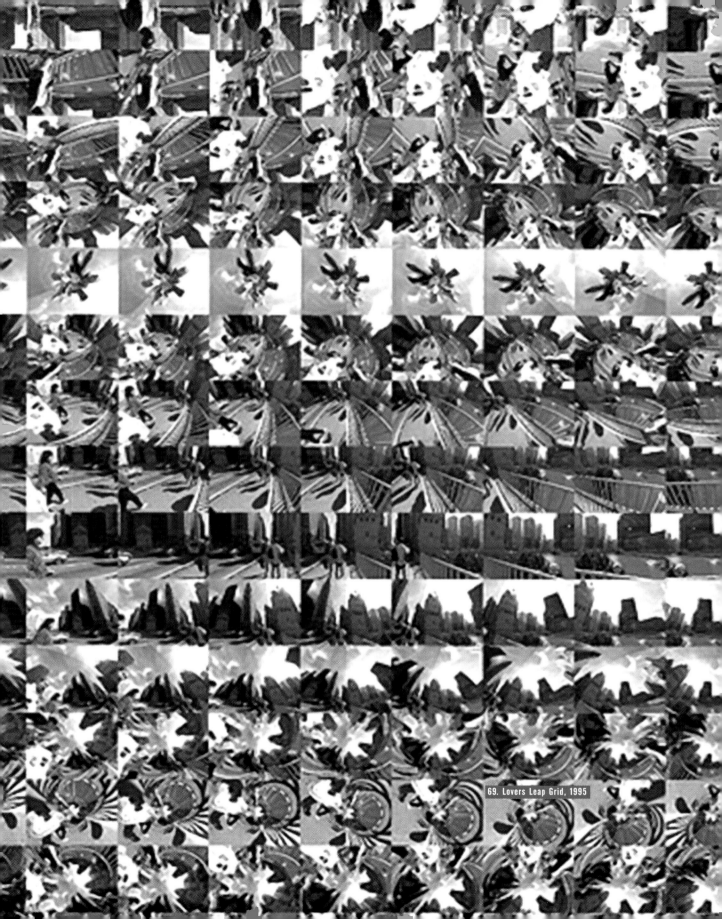

69. Lovers Leap Grid, 1995

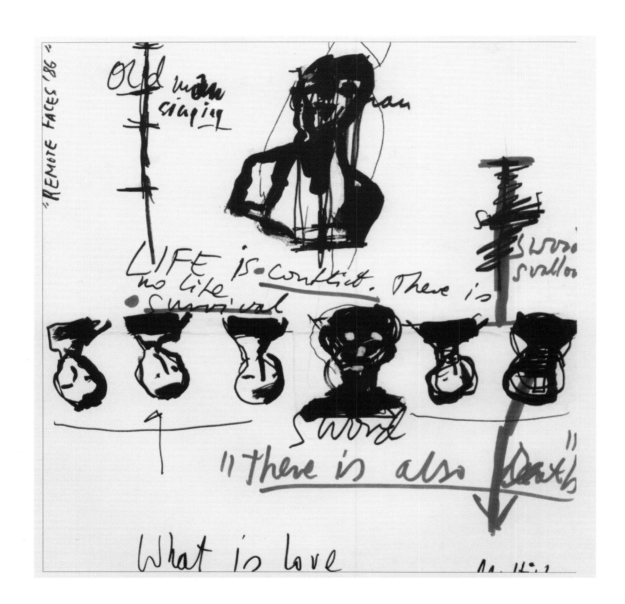

70. Remote Faces, 1986

71. Transformed City Series 4, 1996, edition by Rampart Edition, 2000

72. Questions To Another Nation, Anthology Film Archives, New York City, 1984

73. Divided We Sing, Pittsburgh Center for the Arts, 1999

Lynne Warren

MIROSŁAW ROGALA I OBRAZ FOTOGRAFICZNY: STAŁE PUNKTY W JEGO WIRUJĄCYM ŚWIECIE

W ciszy wczesnego poranka powinnam pisać. Ale nie mogę usiedzieć spokojnie. Trzeba zaparzyć kawę, zająć się codziennymi obowiązkami, wynieść rośliny, by nacieszyły się porannym, ukośnie padającym słońcem. Tak trudno usiedzieć w miejscu. A dzień, jak każdy inny, nie jest rzeczą prywatną i odizolowaną od innych To kolejne wejście w interaktywny, społeczny świat – mecz koszykówki mojego syna, wizyta u przyjaciółki, z którą mamy zamiar wspólnie zasadzić drzewo, kolacja z rodziną. Tak naprawdę to czy którekolwiek dzieło człowieka pozostaje w bezruchu? Nawet górskie głazy z czasem ulegają ścieraniu, mogą też z łatwością zostać wydarte ze zbocza przez maszyny. Czy w naszym ludzkim doświadczeniu jest cokolwiek, co się nie zmienia, coś, co pozostaje w bezruchu? Może tylko gwiazdy na nocnym niebie, chociaż nawet one przesuwają się po nieboskłonie, a konstelacje zmieniają się wraz ze zmianą pór roku. Jednak wśród wszystkich innych rzeczy one właśnie sugerują wieczność w jej niezmiennej doskonałości. Poza nimi taki doskonały, namacalny bezruch wydaje się zaledwie niespokojnym marzeniem, szczególnie w dzisiejszym, pędzącym naprzód świecie. Są jednak rzeczy, w których niezmiennie tkwi moment bezruchu, a raczej wiele takich momentów: fotografie.

Rogala to „kolaboracjonista", człowiek, który dogłębnie rozumie interaktywność, człowiek, który poświęcił życie opracowaniu spójnej teorii doświadczeń interaktywnych, dających się ustrukturyzować i wykorzystać do celów artystycznych. Życie Rogali to ustawiczne działanie. Rzadko zdarza mu się spokojnie usiąść, jego niespokojna energia jest wręcz namacalna, natury bardziej osiadłe czasem czują się w jej obliczu oszołomione. Jego żywiołem jest ruch, dźwięk, ruchomy obraz wideo, ruch ciała, oka, umysłu, zmierzający ku pełnemu doświadczaniu istnienia. A jednak Rogala tworzy obrazy nieruchome. Tworzy je od samego początku swej kariery, od ponad dwudziestu lat. Fotografie Rogali były pierwszymi z jego prac, które poznałam, pierwszymi, które przykuły moją uwagę. Naga kobieta na dachu, jej kształty oświetlone purpurowym, żywym światłem laserowym i inny obraz, który dla mnie był pełnym zaskoczeniem, przesycony historyczną i polityczną prawdą i dramatyzmem sytuacji (mój mąż był wówczas świeżym uciekinierem z Gdyni): pejzaż polskiej wsi, wyrażony jakże dobitnie przez drzewo przecięte purpurowym promieniem lasera.

Te obrazy, uchwycone w bezruchu, wykraczały daleko poza to, co przywykłam widywać na fotografiach. Nie były plasterkami odkrojonymi z naturalnego świata ani też upozowanymi scenami studyjnymi, ale stanowiły fuzję świata i nowej technologii, wyraz nowego sposobu widzenia. Trzeba pamiętać, że

MIROSLAW ROGALA AND THE PHOTOGRAPHIC IMAGE: THE STILL POINTS IN HIS TURNING WORLD

In the early morning quiet I should be writing. But I cannot be still. There is coffee to make and chores to do, and the plants must be moved into the new, slanting sunlight. It is so hard to sit still. And day, like every day, is not a private, sealed-off thing. It is yet another entry into interactivity, into society—a basketball game for my son, a visit to a friend's house to plant a tree, dinner with the family. After all, what in human creation is still, is unmoving? The very rocks of the mountains grind away over time, or quite easily can be ripped apart by our machines. Is there anything that is unchanging, fixed, in our human experience? The stars in the night sky, perhaps, though they rotate throughout the night and change with the seasons. Yet they among all things give an intimation of eternity in its unchanging perfection. Otherwise such perfect, graspable stillness seems but a reckless dream, especially in today's hurtling world. Yet there are things that are unchanging moments of stillness, and many of them—photographs.

Rogala is a collaborationist, a man who profoundly understands interactivity, a man whose life is dedicated to developing a cogent theory of interactive experience that can be structured and exploited for artistic ends. Rogala's life is one of constant action. He rarely sits still, his restless energy is palpable, sometimes overwhelming, to the more sedate personality. He is about movement, sound, the moving video image, the movement of the body, of the eye, of the mind toward a full experience. Yet he makes still images. He has made them from the beginning of his career, over twenty years ago now. His photographs, in fact, were the first thing I saw of his art, the first things that captured me. A nude on a rooftop, her form illuminated with ruby laser life, and another image, something that for me was entirely startling and full of historical and political truth and drama (for my husband was a refugee, recently escaped from Gdynia): the Polish countryside, represented so poignantly by a polled tree, a ruby laser beamed snapped across it.

These captured images went far beyond what I was accustomed to in the still photograph. These were not slices of the naturally occurring world, or manipulated studio set-ups, but fusions of the world and new technology, a new way of seeing. One has to remember that twenty years ago lasers were things of science fiction. Computers were used only by the military and the space program. There were no cell phones. The Communist system was still intact and the world was not permeable as it is today with the internet. It was a rigid place, with limited opportunities. Yet here was Rogala, mapping the space of the photograph with laser beams, charging that

74. PHSCologram, Virtual Sketsch No. 2, The Great Wall of China, 1997

dwadzieścia lat temu lasery należały do świata science-fiction. Komputery służyły wyłącznie do celów militarnych i kosmicznych. Nie było telefonów komórkowych. System komunistyczny wciąż był nietknięty, świat zaś nie był jeszcze, jak dziś, przenikalny i dostępny dzięki Internetowi. Był to świat sztywny, świat ograniczonych możliwości. Jednak pojawił się w nim Rogala, tworzący mapę fotograficznej przestrzeni przy pomocy promienia laserowego, napełniający ją ruchem, jednocześnie nadający temu ruchowi strukturę niezmiennej prawdy, nieruchomego obrazu, który daje potencjał wielorakich możliwości.

Nieruchome obrazy autorstwa Rogali stawały się dla mnie coraz bardziej godne uwagi, w miarę jak obserwowałam rozwój jego kariery, zmierzającej poprzez prace związane z wideoteatrem, interaktywne instalacje dźwiękowe i interaktywne, trójwymiarowe PHSCologramy. Nie wszystkie z nich są czysto fotograficzne – niektóre składają się z zatrzymanych kla-

space with movement, yet structuring that movement to be an unchanging truth, a still image, in which one might contemplate a multitude of possibilities.

These still images of Rogala's have become all the more remarkable to me as I watched his career progress to video theater works, interactive sound installations, and interactive three-dimensional PHSColograms.. These images are not all purely photographic—some consist of video stills, xerographs, inkjet print-outs, or drawings—but all form still points in the restless, charged energy of his career. At first I thought these images—such as *Trees Are Leaving #2*, 1993—were merely residue, documents of the "real" work, perhaps; or more cynically, things to sell (for who can purchase a video-life theater work like *Nature is Leaving Us?*).

I now have come to understand these images are like fixed stars that form constellations around the interactive works and which aid in our navigation

tek wideo, kopii kserograficznych, wydruków z drukarki atramentowej lub rysunków – ale wszystkie stanowią nieruchome punkty w niespokojnej, nałado-
wanej energią karierze artysty. Początkowo sądzi-
łam, że te obrazy – jak *Trees Are Leaving # 2*,
z 1993 roku – to zaledwie pozostałości, dokumenty
stanowiące zapis „prawdziwych" prac; albo też, podchodząc do sprawy w sposób bardziej cyniczny,
rzeczy przeznaczone na sprzedaż (bo któż byłby
w stanie kupić sobie pracę o charakterze wideo-te-
atralno-żywym, taką jak *Nature Is Leaving Us?*).

Teraz jednak dotarło do mnie, że te obrazy są jak
gwiazdy tworzące konstelacje wokół prac interaktywnych, pomagające nam wytyczać kurs żeglugi po
złożonych dziełach Rogali. Są świetlnymi punktami
oparcia, które mogą pomóc w kontemplacji i peł-
niejszym zrozumieniu skomplikowanych cech i złożonych znaczeń prac o charakterze technologicznego performance. *Trees Are Leaving # 2* to wizerunek małego, wyrwanego z korzeniami drzewka (które

of Rogala's complex *oeuvre*. They are points of light and repose one may use to contemplate and
better understand the complicated qualities and
intricate meanings of the performative, technological pieces. *Trees Are Leaving #2* shows a small,
uprooted tree (which in actuality graced Rogala's
studio for many years), its long-dead twigs and fo-
liage hanging like broken wings about its slightly
twisted trunk. Although it is drawn, it feels like a
photograph; the silhouetted tree against a clay-red
background calls to mind Andres Serrano's blood
photographs. This work seems less a memento of
the 1989 *Nature Is Leaving Us*, than its generative
organ. It seems entirely plausible that from this still
point *Nature* was conceived, took form, and grew
into an interactive opera featuring video, dance,
movement, sound, and music, even though it in fact
did not precede the interactive work. The line of T.
S. Eliot springs to mind: "breeding lilacs out of the
dead land, mixing memory and desire." The "dull

zresztą przez wiele lat zamieszkiwało pracownię Rogali), jego od dawna już martwe gałązki i listki zwisające jak połamane skrzydła wokół z lekka skręconego pnia. Chociaż drzewo zostało narysowane, sprawia wrażenie fotografii; sylwetka drzewa na ceglastoczerwonym tle przypomina krwawe fotografie Andresa Serrano. Ta praca wydaje się nie tyle przypomnieniem pracy *Nature Is Leaving Us* z 1989 roku, co jej źródłem. Wydaje się w pełni wiarygodne, że praca *Nature* poczęła się z tego właśnie nieruchomego punktu, że od niego właśnie nabrała kształtów i wyrosła na interaktywną operę z udziałem wideo, tańca, ruchu, dźwięku i muzyki, chociaż chronologicznie wizerunek drzewa wcale nie poprzedza powstania pracy interaktywnej. Na myśl przychodzi wiersz T. S. Eliota, owe bzy wyrastające z martwej ziemi, którym brak pamięci i pożądania. Owe „korzenie" były tu, nim krzak bzu pokrył się listowiem, pozostaną tu, kiedy kwiaty przekwitną, a mróz zwarzy liście, pozostaną w naszej pamięci, gotowe tworzyć życie i taniec kwiatów latem. Kontemplacyjny charakter nieruchomego obrazu wydaje się być rzadkim darem; w pracach Rogali jest kluczem, koniecznym, by wejść w jego oszałamiający, stawiający wiele wymagań świat, jest niezbędnym schronieniem, w którym można kontemplować wszystko, co tu widać.

Fotografia w dwudziestym wieku była wielokrotnie poddawana rozmaitym analizom. Zdawała się wiecznie nowa, miała symbolizować demokratyzację sztuki, być wspaniałym dwoistym medium, które z jednej strony służy celom komercyjnym i pospolitym, z drugiej zaś jest prezentowane w muzeach i traktowane jako jedna ze sztuk pięknych. Teoretycy toczyli niekończące się dyskusje na temat fałszywości przedstawianej na fotografii prawdy, paradoksu pozornej rzeczywistości, która jest bodaj najdalej posuniętym przeciwieństwem tego, co rzeczywiste (szczególnie w przypadku fotografii czarno-białej). Świat rzeczywisty to świat w ruchu, barwny, trójwymiarowy. Fotografii brak wszystkich tych cech. Jednak w rękach Rogali fotografia znów ich nabiera, w ten sposób paradoksy piętrzą się i nawarstwiają. Przy współpracy Forda Oxaala[1] Rogala posługuje się techniką, która po zastosowaniu metod komputerowych daje w rezultacie pełną (360 stopni) panoramę nieba i pejzażu miejskiego, który imituje „świat realny" (dotyczy to między innymi serii *Transformed City*, w której przedstawiono pejzaże miejskie Warszawy i Chicago). Jednak nawet jeśli są one zbliżone do sposobu funkcjonowania ludzkiego oka i umysłu, zdjęcia te wydają się okropnie nierealne, dowodząc, że gdy cyfrowe oko i umysł rozszerzają zakres naszego postrzegania, podkreślają jednocześnie, jak wygodnie jest nam działać w granicach przyjętej „normy", czyli fotografii nieruchomej, ograniczonej do standardowej perspektywy.

U schyłku dwudziestego wieku, wraz z gwałtownym rozwojem technik cyfrowych, tendencje ku ponownemu zdefiniowaniu fotografii sięgnęły apogeum, przy jednoczesnym ignorowaniu faktu, że sama istota fotografii nigdy nie poddała się w pełni szczegółowej analizie i zrozumieniu. Z pewno-

75. Nature Is Leaving Us, Scene V: Installing Values, 1989

ścią, gdy się nad tym uważnie zastanowić, nie ma istotnej różnicy między zbiorem elementów utrwalonych w żelatynowej macierzy (fotografia czarnobiała, żel z zawartością srebra) a zbiorem impulsów elektrycznych utrwalonych na taśmie magnetycznej lub w silikonowym chipie i wydrukowanych za pomocą drukarki laserowej (obraz cyfrowy), ponieważ ani chemiczne, ani fizyczne procesy służące ich tworzeniu nie są widoczne dla oka. Są zaledwie środkiem prowadzącym do celu, nie zaś celem samym w sobie. Ich ostateczny rezultat to właśnie coś, czego nigdy nie udało się w pełni uchwycić i opisać. Wszystkie postmodernistyczne teorie władzy, *simulacrum*, przywłaszczenia i znaczenia dotyczą percepcji, nie obiektu fotograficznego samego w sobie, percepcje zaś, na co wskazują zresztą te same, postmodernistyczne teorie, bardzo łatwo ulegają zmianom (choć teoretycy owi wyraziliby tę myśl zapewne inaczej: „percepcja łatwo poddaje się manipulacji"). Jedna osoba może widzieć w fotografii wyraz przewagi kulturowej, inna oślepiający układ faktur i kształtów, jednak obie patrzą na to samo. Wspólne doświadczenie zaś może zostać szeroko zbadane, jest uchwytne, daje się wielokrotnie zaobserwować i nie ulega zmianom. Każda obserwacja może przynieść nowe wrażenia i przyczynić się do zauważenia nowych, odmiennych elementów, może być podstawą do różnorakich interpretacji, jednak rzecz sama w sobie jest stała i niezmienna, umożliwiając – by ponownie przytoczyć słowa Eliota – kolejne „wizje i rewizje".

Ponieważ obraz nieruchomy był tworzony przy pomocy „staroświeckiej" lustrzanki lub budowany z impulsów elektrycznych uszeregowanych przez komputer („rzeczywistość wirtualna"), w dzisiejszych czasach wydaje się zupełną głupotą zakładać (lub nakazywać), byśmy inaczej reagowali emocjonalnie na każdy z nich. W końcu czyż nie jest prawdą, że wszystkie te „nowe technologie" mają nam zaoferować nowe możliwości, a nie dyktować sztywną strukturę obowiązkowego ich postrzegania i rozumienia, tylko dlatego, że są właśnie „nowe"? Zatem natura reprezentacji, przedmiot wielkiej debaty toczącej się w pierwszej połowie dwudziestego wieku, zdaje się jeszcze bardziej myląca, gdy rozważać ją w świetle wielkiej debaty toczącej się w drugiej połowie dwudziestego wieku – dotyczącej efektu, jaki osiągają różne formy fotografii oddziałujące na ludzkie zmysły, psychikę i intelekt. Efekt ten będzie zależał od tego, na co pozwolą nam nasze zmysły, ukształtowane przez nasze wspólne społeczeństwo (spektrum możliwości ograniczone z jednej strony freudowskim stwierdzeniem, że „Czasami cygaro jest po prostu cygarem", a z drugiej

76. Polish Landscape with the Red Line,
Photograph with Laser, 1980

roots" are there before the leafing out of the lilac, and remain after the blooms have faded and frost has stripped off the leaves, ready in our memory to create the life and movement of the summer flowers. The contemplative nature of the still image seems a rare gift; in Rogala's work, a necessary key to enter his exhilarating, demanding world, a necessary sanctuary to contemplate all that can be seen there.

The photograph was a much analyzed thing in the twentieth century, it seemed perennially new, symbolic of a democratization of art, a wondrous, two-pronged medium that had wide commercial and everyday applications at the same time as it could hang in museums and be valued as fine art. There were endless discussions among theorists about the falseness of its veracity, about the paradox of the seemingly real that is almost as far from "reality" as one can get (especially in the black-and-white photograph). The real world is in motion, in color, in configurations in three-dimensional space. A photograph is none of these things. In Rogala's hands, however, it is these things, a paradox heaped upon a paradox. With the collaboration of Ford Oxaal[1], Rogala utilized a technique that, after computer processing, yields a 360° panorama of sky and cityscape to mimic the "real world." (including the "Transformed City" series which features both the Warsaw and Chicago cityscapes. Yet even as they function more like the human eye and mind these photographs seem terribly unreal, proving that when the digital eye and mind expands our perceptions, it also points out how comfortable we are with "norm," that is, the limited, single-perspective still photograph.

At the end of the twentieth century with the surge in digital technologies, the redefinition of the photographic reached an apotheosis, ignoring the fact that the photograph itself had never quite been pinned down. Surely there is no important difference, when one comes right down to it, between a collection of elements fixed in a gelatinous matrix (the silver-gelatin, black-and-white photograph) and a collection of electric impulses fixed on a magnetic tape or in a silicon chip and printed out by a laser printer (the digital image), for the eye can see neither the chemistry or the physics, respectively. They are but the means, not the end. The end product, now that's what has never been able to be pinned down. All the postmodern theories of power, simulacra, appropriation, and signifying are about perception, not about the photographic object itself, and perception, as these same postmodern theorists point out, is very liable to change (thought these theorists more likely would couch it as "perception is easily manipulated."). One person may see a photograph as a signifier of cultural power; another may see it as a dazzling pattern of textures and forms, but it remains that they are looking at the same thing. And the common experience is that thing *can be studied at length*, captured, looked at again and again and it does not change. One may notice more and different things in each viewing, one may come to different interpretations, but the

piktoralną deklaracją René Magritte'a: „To nie jest fajka!"). Dla tych, którzy lubią zagłębiać się w daleko idące rozważania, natura przedstawienia (reprezentacji) może być naładowana znaczeniami; dla innych (a jest to z pewnością przeważająca większość) jest bez znaczenia. Podobnie większości z nas nigdy nie przyszło do głowy, by dogłębnie rozpatrywać proces fotosyntezy czy obieg wody w przyrodzie. Po prostu wiemy, że drzewa są zielone i wytwarzają tlen, wiemy, że deszcz pada. Natomiast fotografia daje nam doznania wizualne, które doceniamy, ponieważ jednocześnie potrafi „uchwycić" chwile i pozostaje niezmienna w czasie – po wydrukowaniu czy zrobieniu ostatecznej odbitki – pomijając scenariusze filmów science-fiction[2]. Wszystkie znaczenia, zrzucone na stos przytłaczający subtelne różnice percepcji, stanowią, by tak to wyrazić, sos, służący wzmocnieniu doznań, ich poszerzeniu, ale nie ich fundamentalnej zmianie (w końcu przełykamy i trawimy ziemniak, niezależnie od tego, czy został polany sosem czy nie!)

Zatem przy całej zaawansowanej teorii i praktyce Rogali (a może mimo niej), fotografia, czy też obraz nieruchomy, jest podstawowym narzędziem, elementem zasadniczym, wokół którego jego myśli mogą się krystalizować i wyrastać bardziej złożone struktury. Dążenia Rogali zmierzają do uchwycenia i doświadczenia świata w jego jak najpełniejszym kształcie, wszystkimi ludzkimi zmysłami. Nieruchomy obraz i jego magiczna zdolność wychwycenia z wirującego świata jednego momentu stanowi podstawowy budulec złożonego języka artystycznego Rogali i umożliwia jeszcze staranniejsze pielęgnowanie ulotnych obrazów, ruchów i dźwięków. Jego rola nie ogranicza się tylko do dokumentowania prac, lecz obejmuje również prefigurację i rekapitulację podejmowanych tematów. Wartość artystyczna działań Rogali polega na tym, że artysta ten wykorzystuje technologię do tworzenia prac głęboko humanistycznych, które istotnie poszerzają nasz wspólny język percepcji. Dokumentalne zaś i transfiguratywne wartości zdjęć tworzą metastrukturę, na której opierają się bardziej złożone dociekania.

© Lynne Warren 2000

1 I jego programu komputerowego, proponującego nową perspektywę widzenia "Mind's-Eye View."
2 Oczywiście nie oznacza to wcale, że fotografii nie można *zmienić*, jednak manipulacja cyfrowa i powielanie bez zgody autora istniejących już zdjęć to kwestie całkowicie odmienne.

thing itself is fixed, allowing "visions and revisions" to continue quoting Eliot.

Because a still image was taken with an "old-fashioned" single-reflex lens camera or created out of electrical impulses organized by a computer ("virtual reality"), it seems entirely foolish in this day and age to assume (or dictate) that one's emotional response should be different? Isn't the whole point of "new technologies," after all, to offer more possibilities, not dictate a rigid structure of how one must perceive and think about these technologies simply because they are "new." Thus the nature of representation, the great debate of the first half of the twentieth century, seems even more a shibboleth when pondered in light of the great debate of the second half of the twentieth century—the effect of various forms of photographic representation upon the human senses, psyche, and intellect. The effect will be whatever our individual senses, shaped by our collective society, allow us (a spectrum framed by Freud's admonition "Sometimes a cigar is just a cigar," and René Magritte's facile pictorial declaration "This is not a pipe!"). The nature of the representation may be loaded with meaning for some, who like their thinking deep; for others (the vast majority, surely), it is meaningless, just as most never contemplate photosynthesis or the water cycle. They just know trees are green and give oxygen and the rain falls. And the still photograph offers a visual experience that is cherished because it both "captures" time and doesn't change—once printed out in final form—science fiction film scenarios notwithstanding.[2] All the meaning heaped upon all the subtle variations in perception are, so to speak, gravy, to enhance the experience, enlarge the experience, but not fundamentally change the experience (after all, one swallows and then digests the potato, gravy-enhanced or not!).

Thus for all (or maybe in spite of all of) Rogala's advanced thought and practice, the photograph or still image is an essential tool; a fundamental around which his own thoughts can crystallize, and structure more elaborate forms. Rogala's impetus is to capture and experience the world in its fullest, with all the human senses. The still image and its magical ability to capture a moment out of the turning world is the basic building block in Rogala's complex artistic vocabulary and allow the fleeting images, movements, and sounds to be all the more cherished. They do not merely document, but prefigure and recapitulate Rogala's themes. Rogala's value as an artist is that he utilizes technology to create deeply humanistic works that truly do expand our collective perceptual vocabularies. And the documentary and transfigurative qualities of the photograph are metastructures upon which more intricate investigations reside.

© Lynne Warren 2000

1 And his perspective software "Mind's-Eye View."
2 This is, of course, not to say that photographs cannot *be changed*, digital manipulation or unauthorized reproduction of existing photographs are entirely different matters.

Lynne Warren
Curator, Museum of Contemporary Art
Chicago, Illinois, USA

77. Transformed City, Kraków, 1997-99

Prace / Works

PULSO-FUNKTORY
(Pre)interaktywna instalacja multimedialna

Praca powstała w latach 1975 – 1979. Jej punktem centralnym jest sześć neonowych lamp przesłoniętych płytkami. Użytkownik – odbiorca, czyli (w)użytkownik, może naciskać guziki z napisami „włącz" i „wyłącz", przy pomocy których zapala się i gasi powierzchnie świetlne. Dźwięk jest generowany komputerowo przez oryginalne urządzenia z roku 1970. (Warto tu zaznaczyć, że w latach 70. tego typu elektronika nie była ogólnie dostępna, została zaprojektowana na zamówienie). Raz włączona, płytka nie przestaje grać. Każda wykonana

PULSO-FUNKTORY
(Pre)Interactive Mixed Media Installation

This work was created between 1975 – 1979. The display centers on the six light panels with neon lights. The work invites the viewer-user —(v)user – to touch "on" or "off" indicators that control the light display. The sounds are computer-generated using original sound generators from 1970. (It's worth noting that in the '70s electronic elements were not available for purchase; it was all custom designed). Once triggered, it continues to play. Each panel has a transparent material that defuses the neon (tube) projected light. The

jest z przezroczystego materiału rozpraszającego neonowe światło. Generowane elektronicznie dźwięki kojarzą się z lasem i ze śpiewem ptaków. Instalacja, z której może korzystać jednocześnie sześciu (w)użytkowników, stanowi ważne osiągnięcie w dorobku Mirosława Rogali. Do koncepcji jednoczesnej, fizycznej interakcji kilku (w)użytkowników z instalacją artysta powrócił pod koniec lat 90. (m.in. w pracy *Divided We Stand, Electronic Garden, NatuRealization*).

sounds generated are electronic and sometimes reminiscent of the forest and birds singing. This installation is a major landmark for the artist inventing and creating artwork that allows for at least six multi-(v)users with multiple manipulation interaction. This idea is furthered advanced in the artist's work in the late 1990s which allows for multiple (v)user physical and virtual interaction (e.g., *Divided we Stand, Electronic Garden NatuRealization*).

RYSUNKI

Wczesne rysunki tuszem stanowią nawiązanie do przeszłości spędzonej w Polsce. Precyzyjne obrazy wykonane aerografem są wyrazem energii twórczej, jaką Rogala przywiózł ze Starego Świata do Ameryki. Wiele pomysłów i technik powstało gdy artysta pracował na budowie zarabiając na studia. Swój pierwszy projekt zrealizował w pustym budynku w centrum Chicago.

Wynalazkiem, który dał artyście nowe środki wyrazu był komputer. Rogala badał możliwości komputerów Z-Grass, Hewlett-Packard Platters i wczesnych kompute-

DRAWINGS

Early drawing with pen and ink are a strong connection with Rogala's past in Poland. The precisely-made airbrush drawings continued his creative energies brought from the old country to America. Many of the ideas and techniques were developed during his involvement with construction work to support his graduate studies, and utilized his first loft experience in an empty building in downtown Chicago.

Another full expression has been the newly developed medium involving the computer. The artist sought the

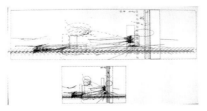

rów Macintosh do tworzenia wizerunków nowoodkrytych krajobrazów miejskich.

Wczesne rysunki komputerowe to głównie szkice i pomysły rozwiązań dla projektowanych dużych instalacji. Stosując zarówno analogowe jak i cyfrowe techniki obróbki danych i własnoręcznie zmodyfikowany swój pierwszy komputer Z-Grass, Rogali udało się przejść od szesnasto- do sześćdziesięcioczteroklatkowej animacji. Sto-

expressiveness of newly born technology called brushes like Z-Grass computer, Hewlett-Packard Platters, early Macintoshes, to create to project to superimpose and to perform in newly discovered urban landscapes.

These early computer drawings are sketches and ideas for large-scale installations. Using analog and digital processing power with the artist personally modifying his first Z-Grass computer allowed him a progres-

sowane przez niego w tym okresie techniki miały ulec dalszemu unowocześnieniu. Wówczas po raz pierwszy korzystał z procesora obrazu zaprojektowanego przez Dana Sandina oraz oprogramowania Johna Friedmana. Współpraca z tymi specjalistami zacieśniła się w późniejszym okresie przy okazji pracy nad projektami takimi, jak: *Lovers Leap, Nature Is Leaving Us* i *Remote Faces: Outerpretation.*

sion from 16 to 64 screen animation. At that time his brushes were traditional and were yet to be developed in forthcoming years. This is the first time he worked with image processors designed by Dan Sandin and closely collaborated with programming by John Friedman. This collaboration was further expanded in the years to come in projects such as *Lovers Leap, Nature Is Leaving Us,* and *Remote Faces: Outerpretation.*

FOTOGRAFIE

Po przybyciu do USA w latach 80., Rogala stworzył serię fotograficznych dokumentacji body performance'ów, gestykulacji świetlnych wykonywanych przy długich czasach otwarcia migawki. Fotografie te są zapisem śladów światła. Dzięki zastosowaniu flesza i dziesięciosekundowej ekspozycji, ciało i gesty ręki powołują do istnienia kaligrafię kreśloną światłem w powietrzu. Trwanie i proces zostały w ten sposób wprowadzone do dzieła sztuki. Performance taki nie byłby widzialny przy zastosowaniu pojedynczych krótkich ekspozycji.

Artysta stworzył serię różnych projekcji, performance'ów i dokumentacji obejmujących krajobrazy pano-

PHOTOGRAPHIES

After arriving in the United States in the 1980s, Rogala created a series of photographic documentations of body performances, gesturing the light during long film exposure and documenting the trace of light during the long-time exposure of a camera shot. The body and its gesture are reflected in a visible calligraphic hand-gestured and hand-depicted writing in space through use of the light-beam of a flashlight with 10-second exposure. Duration and process were introduced into the artwork. This performance would not be visible within a single short photographic exposure.

The artists created diverse series of projections, per-

ramiczne, ludzi i nagie modelki. W jego dorobku znajdują się także *performance*'y z wykorzystaniem laserów, pokazy slajdów, instalacje, wizerunki krajobrazów miejskich – wszystkie zrealizowane na 35 milimetrowej kliszy do slajdów Erktachrome/Kodachrome. Ujawnione wówczas zainteresowanie Rogali gestem rozwinęło się tworząc fundament wielu realizowanych przez niego obecnie projektów związanych z trójwymiarową sztuką interaktywną i interaktywnym teatrem.

formances, documentation including panoramic landscapes, people and nude models. A significant series of the works include gestural; performances with lasers, slide projections, installation objects, cityscape views – all recorded as long-time exposures on 35 mm Erktachrome/Kodachrome slide film. Interest in the gesture is evident in these early examples of gestural artwork, laying groundwork for the current 3D interactive works and wand theatre.

WIDEO
Taśmy, instalacje, performance'y

Mirosław Rogala od 25 lat tworzy instalacje wideo i multimedialne oferujące (w)użytkownikom wielowymiarowe przekazy. Z uwagi na swą złożoność prace te wymagają wielokrotnego doświadczenia. Projekty owe stanowią ważną fazę rozwoju pełnej rozmachu i energii wizji artysty. Interesował się on sztuką wideo już pod koniec lat 70. w Polsce, a po przeniesieniu się do Ameryki zaczął realizować dalsze projekty. Dzięki szybkie-

VIDEOS
Videotapes, Video Installations, Video Performances

Mirosław Rogala has a 25-year history of creating video and multimedia installations that offer the viewer/user – (v)user – multiple levels of content. Due to their complexity, these works have rewarded repeat participation.

These projects are significant to the artist's development of his large-scale, vibrant, ground-breaking vision. Beginning with works completed in Poland in the late

mu postępowi technicznemu w tej dziedzinie, Rogala zaczął tworzyć instalacje, których treść zmienia się zależnie od reakcji i działań (w)użytkowników, mogących kreować nowe doświadczenia przy każdym kontakcie z instalacją. We wszystkich swych pracach artysta poddaje eksploracji kreatywne potencje interakcji i bada możliwości określenia nowej estetyki, ugruntowanej w relacji artysta – uczestnik.

1970s and following his early arrival to the US in the 1980s, advances in technology have allowed this interactive artist to explore newer types of installations and exhibitions where the content is organized according to feedback and response from the (v)user. The participant can create new experiences for every visit through the installation. In each of the works, the artist explores the creative possibilities of interaction and the opportunity to define a new aesthetics of the artist/participant relationship.

FOTOGRAFIE CYFROWA

Transformed City Series:
KRAKÓW
BERLIN
NOWY JORK
WARSZAWA
1997 - 1999

DIGITAL PHOTOGRAPHIES

Transformed City Series:
CRACOW
BERLIN
NEW YORK CITY
WARSAW
1997-1999

Transformed City Series Mirosława Rogali dokumentuje prowadzone przez niego badania krajobrazów miejskich w różnych częściach świata. Autor zestawia wizerunki średniowiecznego Krakowa, Warszawy, współczesnej metropolii Ameryki – Nowego Jorku oraz rozwijającego miejskiego pejzażu Europy, prowadząc rozważa-

Mirosław Rogala's Transformed City Series portrays an exploration of city landscapes in different sites in the world – the artist's visits to his homeland (Cracow and Warsaw), and New York City - contrasting the medieval city of Cracow to the contemporary metropolis of modern America, and emerging cityscape of Europe.

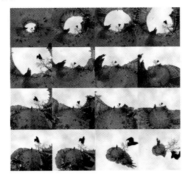

nia na temat transformacji tożsamości, przestrzeni i doświadczeń.

Zdjęcia zostały wykonane przy zastosowaniu technologii cyfrowej, a następnie przekształcone przez program do tworzenia rzeczywistości wirtualnej, napisany na zamówienie autora przez Forda Oxaala z firmy Mind's-Eye-View. Fotografie nie kierują uwagi patrzącego na konkretny punkt, ale pozwalają mu zapoznać się z pełną, trzystusześćdziesięciostopniową panoramą otoczenia zawartą na jednej klatce filmu.

The content represents a transformation of identity, space, and experience.

Transformed City Series is an artist's new canvas, digital photography. The images are transformed through a custom designed VR (virtual reality) software designed by Ford Oxaal/Minds-Eye-View software perspective) - changing from a focused viewpoint to an immersive 360 degree surrounding view contained in a single frame.

PHSCologramy

Virtual Sketch No. 1: One Speech,,One Language detal z pracy *Divided We Stand*, 1997.

Virtual Sketch No. 2: The Great Wall of China detal z pracy *Divided We Stand*, 1997.

PHSColograms

Virtual Sketch No.1: One Speech, One Language, detail from *Divided We Stand*, 1997
Rotated PHSColograms® on Duratran, metal light box

Virtual Sketch No.2: The Great Wall of China, detail from *Divided We Stand*, 1997

Pomysł i realizacja: Mirosław Rogala we współpracy z (Art)n Laboratory: Ellen Sandor, Stephen Meyers, Janine Fron; Alan Cruz z Electronic Visualization Laboratory, Unwersytet Illinois, Chicago oraz Ford Oxaal z firmy Mind's-Eye-View Perspective Software. Programowanie dźwięku interaktywnego: Ray Harmon, Mac Rutan i Mirosław Rogala.

Techniki i materiały: post-narracyjny kolaż wideo, przetworzone komputerowo obracane fotografie typu PHSCologram na kliszach LightJet i Kodalith umieszczone na pleksiglasie w podświetlanej obudowie, sampler, dimension beam, głośnik ze wzmacniaczem, kable.

Na ten, nazywany przez Mirosława Rogalę "szkicami wirtualnymi", projekt składają się teksty i obrazy zajmujące istotne miejsce w przedsięwzięciu mającym na celu pełną, teatralną prezentację pracy *Divided We Stand*. Wykorzystano w nim "wirtualne" instalacje, animacje trójwymiarowe, morfing i dźwięk. Projekt nie mógłby zostać zrealizowany jako fizyczny obiekt w rzeczywistym środowisku. PHSC (skrót od słów photography, holography, sculpture, computer graphics) jest opatentowaną technologią (Art)n Laboratory, zespołu działającego na obszarze Chicago. W jego skład wchodzą: Ellen Sandor, Stephan Meyers i Janine Fron. Praca powstała we współpracy Mirosława Rogali z (Art)n Laboratory, Alanem Cruzem z Electronic Visualization Laboratory Uniwersytetu Illinois, Chicago oraz Fordem Oxaalem z firmy Mind's-Eye-View Photography and Software. Tematem tego złożonego, trójwymiarowego projektu są idee barier architektonicznych, spełniające funkcje granic i obciążone symboliką narodową (Wielki Mur Chiński).

Rotated PHSColograms® on Duratran, metal light box

Concept and design by Mirosław Rogala and (Art)n Laboratory: Ellen Sandor, Stephan Meyers, Janine Fron; Alan Cruz, Electronic Visualization Laboratory, University of Illinois, Chicago; and Ford Oxaal, Minds-Eye-View Perspective Software. Interactive sound programming by Ray Harmon, Mac Rutan and Mirosław Rogala.

Medium, Materials: Post-Narrative Video Collage, Rotated PHSCologram-computer interleaved LightJet Duratans and Kodalith films mounted on plexiglas, framed in light metal box, sampler, dimension beam, amp powered speaker, cables.

Described by the artist as "virtual sketches", this PHSCologram® presents images and texts that figure prominently in Rogala's work toward a full-scale, theatrical presentation of his *Divided We Stand* project. The work is comprised of immersive "virtual" installations with 3-D, animation, morphing , and sound, and could not be physically realized as real sculptural environments. PHSC is an acronym for photography holography, sculpture, and computer graphics – a patented process developed by (Art)n Laboratory, a Chicago-area collaborative, including Ellen Sandor, Stephan Meyers, and Janine Fron. This large-scale light-box mounted work was created by a collaboration between Mirosław Rogala, (Art)n Laboratory, Alan Cruz, Electronic Visualization Laboratory, University of Illinois/ Chicago, and Ford Oxaal, Minds-Eye-View Photography and Software. The ideas of architectural barriers that serve as boundaries, laden with national symbolism (the Great Wall of China) are explored in this complex, three-dimensional imagery.

DIVIDED WE SING
Interaktywna instalacja dźwiękowa na wielu (w)użytkowników

Divided We Sing to interaktywna instalacja dźwiękowa będąca etapem pracy zmierzającej ku Divided We Stand. Wybór użytych technik został zdeterminowany przez rozmiar przestrzeni (ze szczególnym uwzględnieniem ruchu publiczności, jej gestów i fizycznej interakcji) i przez mapowanie uzyskane dzięki nowemu eksperymentalnemu oprogramowaniu. Zostało ono dostoso-

DIVIDED WE SING
Audience (v)user interactive sound installation

Divided We Sing is an interactive sound installation for *Divided We Stand*. The choice of media was determined by the size of the physical space (emphasising audience motion, gesture and body interaction) and the mapping of experimental new software and hardware customized and further developed for this project as a method for proximity relationships.
Divided We Stand is conceived as a large-scale Au-

wane i rozwinięte dla potrzeb tego projektu, ze szczególnym uwzględnieniem odległości między użytkownikami.
Divided We Stand została pomyślana jako symfonia medialna w sześciu aktach na publiczność. Projekt angażuje dużą grupę uczestników – (w)użytkowników i dynamiczne mapowanie. Studia do tej pracy w procesie powstawania, w formie instalacji, zostały zamówione i wystawione przez Museum of Contemporary Art w Chicago, Illinois (Divided We Speak, 1997), Pennsylvania Center for the Arts w Pittsburghu (Divided We Sing, 1999), oraz Drexel University Art Gallery w Filadelfii (Divided We See, 2001).

Słowa kluczowe: ruch wielu (w)użytkowników, interakcja na poziomie ciała i gestu, eksperymentalne, dostosowane, związki odległości, dynamiczne mapowanie.

dience Interactive Media Symphony in Six Movements. It is designed to engage a large group of participants in multi-(v)user and group interaction through dynamic mapping. Studies for this work-in-progress, as installations, have been commissioned and exhibited at the Museum of Contemporary Art in Chicago, Illinois (*Divided We Speak*, 1997), Pittsburgh, Pennsylvania Center of the Arts (*Divided We Sing*, 1999), and Drexel University Art Gallery in Philadelphia (*Divided We See*, 2001).

Keywords: audience multi-(v)user motion, gesture, and body interaction, experimental, customized, proximity relationships, dynamic mapping.

BIO

MIROSŁAW ROGALA

329 West 18ᵗʰ Street Chicago, Illinois   60616   USA   Tel: (312) 666-0771 Fax: (312) 666-0772   email: rogala@mcs.com

Wykształcenie / Education
2000
Ph. D. in Interactive Media Arts, CAiiA-STAR Centre for Advanced Inquiry in the Interactive Arts, University of Wales, Newport
1983
MFA in Video, The School of The Art Institute in Chicago
1979
MFA in Painting, Akademia Sztuk Pieknych / The Academy of Fine Arts, Kraków, Poland
1972-76
Studied at Panstwowa Srednia Szkola Muzyczna, (School of Music), Kraków, Poland

Doświadczenie dydaktyczne / Teaching Experience
2000-
Associate Professor, Brooklyn College/City University of New York; Director, PIMA Integrated Media Arts Program
1997-1999
Assistant Professor, Carnegie Mellon University, Pittsburgh, Department of the Arts, Interactive Media
Fellow, Studio for Creative Inquiry, Carnegie Mellon University, Pittsburgh,
1996
Adjunct Professor, School of the Art Institute of Chicago, Art & Technology Dept
1987-1996
Adjunct Professor, Columbia College Chicago, Computer Graphic Arts/ Video
1991-1993
Assistant Professor, Rensselaer Polytechnic Institute, Troy, NY, Dept of the Arts, Electronic Media

Granty i nagrody (wybór) / Grants and Awards (Selected)
2001
Drexel University Art Gallery, Philadelphia, *Divided We See*, Interactive Media Installation
2000
Technische Universiteit Eindhoven, Eindhoven, The Netherlands, Experimental Interactive Media Installation,
„Art in Output" Exhibition
1999
Pittsburgh Center for the Arts, *Divided We Sing*, Interactive Sound Installation
1997
Museum of Contemporary Art, Chicago, *Divided We Stand*, Interactive Multimedia Project
1996-99
Research Fellowship, online PhD Research Program, (CAiiA) Centre for Advanced Inquiry in the Interactive Arts,
University of Wales College, Newport, Wales
1995
Sculpture Chicago '96, *Electronic Garden/ NatuRealization*, Site Specific Outdoor Interactive Sound Installation.
Babelfish Award, *Lovers Leap*, Interactiva Potsdam, Germany
International Award for Video Art (with Carolee Schneemann), Internationaler Videokunstpreis, Germany
1994-95
Zentrum Für Kunst und Medientechnologie (ZKM) Karlsruhe, The Center for Art and Media Technology,
Karlsruhe, Germany, Artist in Residency Fellowship
1990-92
NEA/Intermedia Arts Awards for *Instructions Per Second*
1989
American Film Institute Video Festival Award; *The Witches Scenes: New Works* Premiere

Wybrane wystawy, instalacja i projekcje / Selected Exhibitions, Installations, and Screenings
2001
Centre for Contemporary Art, Ujazdowski Castle, Warsaw, Poland (solo gallery exhibition)
Galeria "Bunkier Sztuki", Krakow, Poland (solo gallery exhibition)
Drexel University Design Arts Gallery, Philadelphia, Pennsylvania (solo gallery exhibition)
2000
Eindhoven Institute of Technology, Eindhoven, The Netherlands
Perspektiven, Schlossmuseum Murnau, Murnau, Germany
Spain-Cordoba Cultural Center, Cordoba, Argentina
Museum of Contemporary Art, Roskilde, Denmark
1999
Pittsburgh Center for the Arts, Pittsburgh, Pennsylvania
Museo Universitario Contemporanero Arte (MUCA), Mexico
Lovers Leap: Interfacing Realities, CD-ROM and Digital Notebook Installation, Harlan Gallery, Seton Hall College,
Greensburg, Pennsylvania (solo gallery exhibition)
7th Biennial Arts and Technology Symposium, Connecticut College, New London
MILIA, Cannes, France, 3d Medien-Biennale
Burda Akademie zum Dritten Jahrtausend, München, Germany
1998
Centro de La Benificencia, Valencia, Spain
International Festival of Film and New Media on Art, Athens, Greece
Fourth International Graphics Biennial, Györ, Hungary
ATA, Second International Video Festival, Lima, Peru
1997
Museum of Contemporary Art, Chicago, Illinois (solo gallery exhibition)
Institute of Contemporary Art, Philadelphia, Pennsylvania
Centre Georges Pompidou, Paris, France (videotape screening)
Finnish Museum of Photography, Helsinki, Finland
MultiMediale 5, ZKM Center for Art and Media, Karlsruhe, Germany
Goethe-Institut, Torino, Italy; Hong Kong Videotage;
Cyber, Lisboa, Portugal; Videoformes, Clermant-Ferrand, France;
Goethe-Institut, Madrid, Spain, Filmwinter Stuttgart, Stuttgart, Germany,
Galeria Bunkier Sztuki, Kraków, Poland (solo exhibition)
1996
Sculpture Chicago '96, Chicago, Illinois (public art interactive installation)
Biennale de Lyon, Lyon, France (interactive installation and CD-ROM)
Museum of Contemporary Art, Sydney, Australia, *Burning The Interface*
Travelling Exhibition (Australia, New Zealand) 1996-1997
1995
Multimediale 4, Karlsruhe, Germany (*Lovers Leap* premiere)
DEAF/Dutch Electronic Arts Festival, Rotterdam, Holland
Siemen Kulturprogramm *Photography After Photography*International Traveling Exhibit
(Europe, Scandinavia, Australia, USA) 1995-1998
1994
ZKM Center for Media and Technology, Karlsruhe, Germany
Fylkingen, Stockholm, Sweden
1993
International Center of Photography, New York City
Contemporary Art Center, Cincinnati, Ohio
1991
Museum of Contemporary Art, Los Angeles
The Kitchen, New York City
1990
Brooklyn Art Museum, New York
Walker Art Center, Minneapolis, Minnesota

Publikacje Miroslawa Rogali / Published Writings By Miroslaw Rogala
ROGALA, M. 2001. The Experience of Interactive Art. In *Miroslaw Rogala: Gestures of Freedom*, Exhibition Catalogue, Centre for Contemporary Art, Ujazdowski Castle, Warsaw, Poland, March 2 - April 8; Krakow, Poland, April 18 – May 13
_____. 2001. *Space Orchestration: Elements of Interactive Art Experience*, Dialectics of Interactivity: Art and the Public Symposium entitled, Drexel University, Philadelphia, Pennsylvania USA, February 7
_____. 2000. *Strategies for Interactive Public Art: Dynamic Mapping with (V)User Behaviour and Multi-linked Experience*. Ph. D. Thesis. Newport, Wales: University of Wales College(unpublished); includes interactive CD-ROM and videotape
_____. 2000. *I Wanted To Keep Touching the Words*, by Miroslaw Rogala. In COIL. Journal of the Moving Image issue # 9/10, November 2000
_____. 1998. *Three Artworks as Dynamic Matrix of Interactive Experience*. In *Proceedings, CAiiA-STAR Symposium*, Valencia, Spain: Centro de La Beneficencia, December 4 - 5

_____. 1998. *Dynamic Behavioural Spaces: Interactive Art with Single and Multi-User Group Interaction*. Presentation and Unpublished paper. *Living Surfaces Conference*, Park City, Utah: American Center for Design Oct. 8 -October 11

_____. 1998. *Dynamic Behavioural Spaces: Interactive Art with Single and Multi-User Group Interaction*. Proceedings, *Interstices: Architecture of Consciousness Symposium*, St. Germans, Cornwall, Wales: STAR, August 23 - August 25

_____. 1998. *Dynamic Behavioural Spaces: Interactive Art with Single and Multi-User Group Interaction*. Proceedings and Abstracts, *Consciousness Reframed II: Art and Consciousness in the Post-Biological Era* , CAiiA Research Conference, Caerlon, Wales: University of Wales College, August 20 - August 22

_____. 1997. *Dynamic Spaces: Interactive Art in Large-Scale Public Environments*. Presentation and Unpublished Paper. *ISEA 97* Conference. Chicago, Illinois: International Symposium for Electronic Arts, September 24

_____. 1997. *Dynamic Spaces: Interactive Art in Large-Scale Public Environments*. In R. Ascott, (ed.), *Conference Proceedings and Proceedings Abstracts: Consciousness Reframed 1 : Art and Consciousness in the Post-Biological Era*, First International CAiiA Research Conference, Newport, Wales: University of Wales College, July 5 - 6

_____. 1997. *Restructuring Space*. Presentation and Unpublished Paper. *Sensing The Future: Research at the Leading Edge of Art and Technology* Conference, Dublin, Ireland: Arthouse Multimedia Centre for the Arts, April 11

_____. 1997. *Public and Personal Spaces. Digital Creativity: Computers in Art and Design Education*, CADE International Conference. Derby, England: University of Derby, April 1-4

_____. 1996. *Freedom or Interactivity*. Presentation and Unpublished Paper. *Design for the Internet* 4th Annual Living Surfaces Conference. Chicago, Illinois: American Center for Design, November 15

_____. 1996. *Public and Personal Spaces*. Presentation and Unpublished Paper. *The Total Museum* International Conference. Chicago, Illinois: The Art Institute of Chicago, October 18-30

_____. 1993. Nature Is Leaving Us : A Video Theatre Work. *LEONARDO*, The Journal of the International Society for the Arts, Sciences and Technology, MIT Press, Vol. 26 No. 1, February, pp. 3, 11-20

ASCOTT, R. 2000. *Reframing Consciousness: Art, Mind, and Technology*, edited by Roy Ascott. Newport, Wales: CAiiA-STAR. Contains essay by Miroslaw Rogala

Bibliografia / Bibliography
2001
Miroslaw Rogala: Gestures of Freedom. Works 1975-2000, edited by Ryszard W. Kluszczynski.
Exhibition Catalogue, Centre for Contemporary Art, Ujazdowski Castle, Warsaw, Poland, March 2 - April 8; Galeria "Bunkier sztuki", Krakow, Poland, April 18 - May 29. Contains . Essays by Roy Ascott, Sean Cubitt, Elaine King, Ryszard W. Kluszczynski, Miroslaw Rogala, and Lynne Warren.
2000
Revista de Arte Sonoro no 5. CD-ROM including interactive music documentation of *Divided We Speak/Divided We Stand*. Centro de creacion Experimental. Centro de La Beneficencia, Valencia, Spain
Book for the Electronic Art, by A.R. Arjen Mulden and Maaike Post. Rotterdam, Holland: V_2 Organisatie,
Timothy Murray, *Digital Incompossibility: Cruising the Aesthetic Haze of the New Media*, featuring analysis of Miroslaw Rogala's LOVERS LEAP. CTheory Online series, THE FUTURE OF THE PAST. February 2000.
Fred Camper, *More Than Real. Miroslaw Rogala: Boundaries of Freedom*, Chicago READER, Jan 28.
1999
Envisioning Cyberspace: Designing Electronic Spaces by Peter Anders, New York: McGraw Hill
1998
Dynamiczne przestrzenie doświadczeń. O twórczości Mirosława Rogali (Dynamic Spaces of Experiences. On the work of Miroslaw Rogala) in *Obrazy na wolnosci (Images at Freedom)* by Ryszard W. Kluszczynski, Instytut Kultury, Warsaw, Poland
Miroslaw Rogala's Zhou Brothers by George Lellis, *Proceedings*, University Film and Video Association Conference, Winston-Salem, North Carolina
Electronic Garden NatuRealization, in *At the Heart of Interaction Design* by Laura Lee Alben, CD-ROM, Santa Cruz CA: Alben+Ferris Inc
Dynamic Spaces, by Miroslaw Rogala, Proceedings, Consciousness Reframed I Conference, Wales.
1997
Divided We Stand: Interactive Art and The Limits of Freedom by Edward A. Shanken, Duke University, North Carolina (essay)
Postmodern Currents: Art and Artists in the Age of Electronic Media by Margot Lovejoy, 2nd Edition, 1997, Prentice Hall: Upper Saddle River, New Jersey
1996
Feature Interview, *Electronic Garden/NatuRealization*, All Things Considered, Nat'l Public Radio
When Two Worlds Collide: Rogala's Lovers Leap, by Charlie White, DIGITAL VIDEO ONLINE
1995
Catalogue, *Fotografie nach der Fotografie*, Traveling Exhibition, Siemens Kulturprogramm, German
Lovers Leap, essay by Timothy Druckrey; *ARTINTACT 2*, CD-ROM Interactive Magazine

Spis ilustracji / Index of Illustrations

44. *Divided We Sing*, Pittsburgh Center for the Arts, 1999
45. rysunek komputerowy / computer drawing, 1982
46. rysunek komputerowy / computer drawing, 1982
47. rysunek komputerowy / computer drawing, 1987
48. *Divided We Sing*, Pittsburgh Center for the Arts, 1999
49. *Blue Laser Portrait*, photo John Boesche, 1981
50. *Divided We Sing*, Pittsburgh Center for the Arts, 1999
51-52. *Lovers Leap*, Multimediale 4, ZKM, Karlsruhe, Germany, 1995
Interactive Multimedia Installation work. 2 Projection Screens (6x4 meters), Space (30x15 meters), 2 Computers, 2 laser disks, Audio CD-Compact, 4 channel sound. Wireless/Ultrasonic Headphones for the viewer, Collaboration with Ludger Hovestadt, 12-D Design Environment, and Ford Oxaal Minds-Eye-View Perspective. Produced at ZKM Karlsruhe, Germany
53. *Divided We Stand, An Audience* (V)User Interactive Media Symphony in Six Movements, Artist Conceptual Sketch, 1997
54. *Lovers Leap*, Multimediale 4, ZKM, Karlsruhe, Germany, 1995
55. *Electronic Garden/NatuRealization*, Washington Square Park, Chicago, Illinois, 1996
56-57. *Divided We See*, Quick Time VR, Drexel University Design Arts Gallery, Philadelphia, 2001.
An Audience Interactive (V)user Media Installation. Credits: Werner Herterich, Michael Iber, John Friedman
58-59. Videoperformance, *Mask*, photo Joe Reitzer, 1980
60. *Pulso-Funktory*, 1975-79
61. *Speech*, Videotape, Video Drive-In, Grant Park, Chicago, Illinois, 1984
62. *Remote Faces: Outerpretation*, Museum of Contemporary Art, Chicago, Illinois, 1986
Video Installation Performance; 36 minutes, Color, 7 channel video installation with 8 channel sound, performance, synchronized playback. Original sound by Lucien Vector. Poetry by Mirosław Rogala
63. *Nature Is Leaving Us, Scene X: Electronic City*, 1989
64. *Instructions Per Second*, Schneemann & Rogala, The Artist's Studio, Chicago, Illinois, 1994
Videotape (Chapter One), 10:15 minutes, Color, Stereo. Sound , design by Lucien Vector. In collaboration with performance artist Carolee Schneemann
65. *Lovers Leap*, Computer Sketch, 1994, Ford Oxaal Minds-Eye-View Perspective Software
66. *Electronic Garden/NatuRealization*, Washington Square Park, Chicago, Illinois, 1996
67. *Divided We Speak*, PHSColograms with Interactive Sounds, Museum of Contemporary Art, Chicago, Illinois, 1997
68. *Lovers Leap Grid*, 1995, Ford Oxaal Minds-Eye-View Perspective Software
69. *Lovers Leap Grid*, 1995, Ford Oxaal Minds-Eye-View Perspective Software
70. *Remote Faces*, Artist's Sketch 1986
71. *Transformed City Series 4*, 1996, edition by Rampart Editions, 2000
72. *Questions To Another Nation*, Anthology Film Archives, New York City, photo Dieter Froese, 1984
73. *Divided We Sing*, Pittsburgh Center for the Arts, 1999
74. *Virtual Sketch No.2: The Great Wall of China*, 1997. Rotated PHSColograms® on Duratran, metal light box. Concept and design by Mirosław Rogala in collaboration with (Art)n Laboratory: Ellen Sandor, Stephan Meyers, Janine Fron; Alan Cruz, Electronic Visualization Laboratory, University of Illinois, Chicago; and Ford Oxaal, Minds-Eye-View Perspective Software. Interactive sound programming by Ray Harmon, Mac Rutan and Mirosław Rogala
75. *Nature Is Leaving Us, Scene V: Installing Values*, 1989
76. *Polish Landscape with the Red Line*, Photograph with Laser, 1980
77. *Transformed City Series (Kraków)*, 1997-99
78. *Electronic Garden*, Warsaw, Artist Conceptual Design, (3-D modelling by Darius Pekus) 2000.

78. *Electronic Garden, Warsaw, Artist Conceptual Design, 2000.*